D1282260

BRENDA UELAND

SI QUIERES ESCRIBIR...

MAGORIA

Colección Magoria
Si quieres escribir...
Brenda Ueland

1.ª edición: mayo de 2.000

Título original: *If You Want To Write*
Portada de Michael Newman
Traducción de Zulema Moret
© 1938,1987 by Brenda Ueland (Reservados todos los derechos)
© Ediciones Obelisco, S. L., 1998 (Reservados todos los derechos
para la presente edición)
Edita: Ediciones Obelisco, S. L.
Pere IV, 78 (Edif. Pedro IV) 4ª planta 5ª puerta
08005 Barcelona - España
Tel. 93 309 85 25 - Fax 93 309 85 23
Castillo, 540, Tel. y Fax 771 43 82
1414 Buenos Aires (Argentina)
E-mail: obelisco@website.es y obelisco@airtel.net

Depósito Legal: B. 9.997-2000
I.S.B.N.: 84-7720-751-8

Printed in Spain

Impreso en España en los talleres de Romanyà/Valls, S. A.
Verdaguer, 1, 08786, Capellades (Barcelona)

Prefacio a la segunda edición

Este libro intenta ser una gran ayuda para liberar los pensamientos y la energía creadora que habita en cada ser humano. («Aquel que no conoce su propia capacidad creadora es porque no la tiene.» *William Blake*.) La gente que desea escribir, a menudo sufre de una especie de mezcla de confusión y desconcierto, originada, entre otras razones, por la terrible dificultad que implica la escritura, los misteriosos errores que pueden cometerse y por el hecho de que, con demasiada frecuencia, a pesar de los enormes esfuerzos, tan sólo se logra crear un poco de interés en los lectores.

Durante muchos años impartí clases en la YWCA de Minneapolis. Considero que he sido una excelente profesora y creo que así también lo pensaban mis alumnos. Entre ellos figuraba todo tipo de personas: hombres y mujeres, ricos y pobres, eruditos y poco cultos, profesores con un elevado nivel cultural y jóvenes empleadas de hogar tan tímidas que, a menudo, me costaba meses conseguir que escribieran una o dos frases.

Mi forma de enseñar difería de la de los demás profesores en lo siguiente: siempre he sentido un incansable interés por cada uno de mis alumnos, sus ideas, aventuras, fracasos, odios, noblezas y falsedades. «Cuéntame más. Explícame exactamente lo que podrías sentir si trataras de matar a un hombre...» El alumno me contesta: «los músculos de sus hombros se tensan». «¿Realmente se tensan? ¿Puedes en verdad asegurarlo?» Entonces el joven novelista replica excitado: «¡Sí, así fue! ¡Sus músculos se habían hecho tan grandes que parecían reventar las costuras del abrigo!» Yo respondía: «Bien, bravo: así vas por buen camino. Esta frase es mucho mejor».

He escrito este libro con la intención de mostrar cómo he podido liberar a mis alumnos de esos nubarrones de verborrea que sólo sirven para producir falta de interés en el lector.

Cuando descubráis la clave de ello, podréis trabajar vuestro estilo literario con la libertad y el ímpetu que produce la fascinación. Trabajaréis durante horas, meses, años. Novelas, obras de teatro saldrán en tropel. Nunca más escribiréis sólo para presumir de ello o motivados por una fuerza de voluntad inerte, sino movidos por la generosidad y la fascinante búsqueda de la verdad. El lema: sentirse libre, sentirse auténtico, ser valiente. La búsqueda de lo verdadero os salvará de la extravagancia y la pretensión.

En la actualidad, en las escuelas estadounidenses todos los niños aprenden a escribir desde los primeros grados y lo hacen con composiciones del tipo «Un día feliz en la granja», «Lo que vio el osito». Pero lo que los maestros están haciendo, en realidad, es enseñar a deletrear y a aplicar las normas gramaticales. No se han dado cuenta de que lo verdaderamente fascinante y sugestivo es descubrir qué piensa cada uno.

Más tarde, cuando estos niños crecen y deciden estudiar en las escuelas de verano de escritura creativa en Yale y de Colorado, así como de otras tantas universidades, el procedimiento es siempre el siguiente: un alumno, a pesar del temor que le produce la posibilidad de mostrar su trabajo al resto de la clase, lo lee, no sin cierta timidez, en voz alta. Y entonces, ¡vaya precipitación la de los demás...! Saltan sobre él con críticas y burlonas correcciones. «Yo en tu lugar hubiera puesto el segundo párrafo primero... No me gusta la palabra "experto"... Aquellos dos adjetivos están demasiado juntos.»

Esto no tiene nada que ver con lo que significa ser escritor o escribir creativamente.

En este caso, es un comité el que juzga la obra del alumno. Sin embargo, aunque la obra fuera realizada por dicho comité, el resultado tampoco sería bueno. Sólo se trataría de una gran elaboración, carente por completo de sinceridad y de talento: exactamente lo que Tolstoi llamó «cerebro girado». Pero mucho peor que todo este daño y aniquilación es otro elemento: la falta de interés del material producido.

En este libro intentaré contar cómo Tolstoi, uno de los hombres más interesantes que jamás haya vivido, explica el misterio de lo que denomina «aburrimiento o falta de interés» y cómo esto se transmite de escritor a lector. El interés por lo escrito produce un contagio inmediato. El escritor expresa lo que siente desde su verdadero yo; el lector lo lee y al instante se contagia. Ambos tienen el mismo sentimiento. Éste es el secreto del hechizo, de la fascinación. Y en este libro contaré todo lo que Chéjov, William Blake, Van Gogh o Mozart, las más grandes personalidades de la Imaginación Divina, afirmaron acerca de estos conceptos.

●   ●   ●

En nuestra niñez, poseemos una percepción clara de todas las cosas y estamos llenos de luz. Veamos lo que dice la *Oda de Wordsworth a la inmortalidad y al niño* de Henry Vaughan:

> *Cuando sobre alguna dorada nube o flor*
> *mi alma contemplativa podría morar una hora*

Entonces llega el momento de ir a la escuela, con su ejército de maestros y sus lápices críticos; llegan también los hermanos (los que más se burlan de nuestra tarea) y los padres, así como los poco amables amigos; finalmente, hace su aparición el Gran Asesino de la Imaginación: un universo de profesores, críticos incesantes y malhumorados.

Hace algunos años, durante el verano, se organizó en la universidad un «seminario de escritores», y fui invitada, junto con otros escritores de Minnesota, a dar una conferencia.

A los tímidos y ansiosos escritores allí presentes, se les había dado una serie de pautas en las que se les aconsejaba, entre otras cosas, sobre «cómo enfocar sus escritos» para que los editores no los rechazaran.

Hablé sobre mi clase y sobre el método de enseñanza que utilizaba. Leí algunos trabajos de mis alumnos. ¡Los pobres escritores allí presentes se sintieron tan aliviados! Hubo radiantes muestras de simpatía... ¡Y hasta aplausos! Comenzaron a reírse, sus ojos brillaban como los de los profetas y poetas. Casi me obligan a desfilar por toda la universidad. El profesor Nolte, que había hecho copias de mis notas, se las distribuyó a todos ellos. Los editores G. P. Putnam e Hijos solicitaron mi autorización para incluirlas en un libro. Y éste fue el resultado: *Ayuda de las Nueve Musas*.

• • •

Posdata: Mientras escribía este libro, un viejo amigo, Calr Sandburg, vivía en mi casa. Algunas veces, mientras contemplaba el lago Calhoun durante los atardeceres de noviembre, comenzaba a tronar con su vozarrón (como tal vez en otro tiempo había hecho Isaías) refiriéndose a las olas grisáceas, el viento del norte, la luna nueva y el cielo metálico.

El libro le gustó y me dijo: «Éste es el mejor libro que se ha escrito sobre cómo escribir».

Brenda Ueland
febrero de 1983

Capítulo I

Todo el mundo posee talento,
puede ser original
y tiene algo importante que contar

Desde que empecé a escribir, hace ya mucho tiempo, he logrado aprender no sólo de mi propia tarea como escritora, sino también de los talleres de escritura que coordiné durante tres años. A mis clases asistía todo tipo de personas: ricos y pobres, amas de casa, mecanógrafas, gente culta y gente sencilla, como empleadas de hogar que no habían recibido estudios medios. Conocí a gente tímida y a gente más lanzada; algunos eran tranquilos, lentos, y otros, ansiosos y rápidos.

Pero esto es básicamente lo que aprendí de esta experiencia: cada ser humano tiene algo importante que expresar, posee en sí mismo algo original que decir y está dotado de talento.

Confieso que, en más de una ocasión, aquellos alumnos de quienes sospechaba al principio que no tenían nada que contar, luego eran los que escribían con más facilidad, sin apenas inhibición o afectación; acababan deslizándose tan fácilmente por las páginas que les bastaba una semana para escribir una novela.

Sin embargo, éstos eran quienes inicialmente no parecían avanzar o progresar, pues no lográbamos alcanzar grandes resultados. Ante la primera dificultad se daban por vencidos y abandonaban.

Mas, a pesar de las apariencias, estos alumnos tenían talento. El problema, tal vez, era que les costaba mucho romper el muro de la superficialidad de su propia expresión para llegar a lo más profundo de su ser, del mismo modo que otros deben romper el muro de su rigidez o de su inflexibilidad.

Todo el mundo posee talento

TODO SER HUMANO POSEE TALENTO. Todo el mundo tiene algo que expresar. No hagáis nada durante veinticuatro horas y veréis lo que ocurre. Podéis acabar desquiciados.

Siempre existe el deseo de hacer algo: escribir una carta, cantar, dibujar, coser o cuidar el jardín. Los religiosos suelen refugiarse en lugares apartados, y se les impone el silencio para que, de este modo, puedan conversar con Dios. En estos casos, el diálogo se produce en silencio; sin embargo, lo que importa es que realmente se produce.

Todo el mundo puede ser original

TODO SER HUMANO PUEDE SER ORIGINAL. No importa que cuente verdades o mentiras, que hable de sí mismo o de los demás. Lo esencial es que debe ser su verdadero yo quien se exprese, y no el yo que piensa o que desea ser. Jennings y John Hopkins se encuentran seguramente entre las personas que más saben sobre herencias genéticas y cromosomas. Ambos expertos afirman que ningún individuo es igual a otro en todo el mundo, que no pueden existir dos personas idénticas. De ello se deduce que, si decidís hablar o escribir sobre vosotros mismos, a la fuerza habéis de ser originales.

Por lo tanto, recordad estas dos afirmaciones: todos tenemos talento y todos podemos ser originales. Insisto en ello porque la autoconfianza es uno de los elementos más importantes a la hora de escribir. Más adelante os explicaré el porqué de esta afirmación.

El poder y la imaginación creativos se encuentran en cada uno de vosotros y en la necesidad de compartirlos con los demás. Pero, ¿qué sucede entonces? Parece muy provechoso y útil el hecho de que, ya desde muy pequeñas, las personas se vean involucradas en lo que se denomina «crítica constructiva», sin embargo, tarde o temprano descubrimos que detrás de este término se esconde algo muy destructivo que se manifiesta a través de la burla, de tomarle el pelo a los demás, de maestros opresores, críticos y todo tipo de gente desagradable que a menudo olvida que la letra no entra con sangre y que el espíritu debe darnos vida.

Algunas veces pienso que la vida es un proceso a lo largo del cual cada uno de nosotros sufre desencantos y es infravalorado.

Pero también hemos de ser conscientes de que, de niños, todos estamos dotados de este poder creativo. En alguna ocasión habréis presenciado cómo las niñas de vuestras familias disfrutan haciendo teatro. Escriben breves piezas para representar (y la mayoría de las veces están llenas de gracia, son divertidas e interesantes). Actúan, realizan sus propios trajes, ajustados a la época que desean representar, y transforman los mejores vestidos de sus madres, o aquellos que han encontrado en la buhardilla, de un modo ingenioso. Construyen el escenario, deciden el lugar en donde van a representar sus obras, llevan sillas, transportan el piano, dibujan los papelitos que serán utilizados como entradas para su espectáculo y diseñan sus propios programas. Crean una red tal que logran movilizar a su futura audiencia aun cuando ésta se encuentre a varios kilómetros de distancia... ¿Cuál será su recompensa? Tal vez sólo unos peniques.

Todas estas niñas, de unos diez años, han estado trabajando llenas de energía y entusiasmo durante dos días como mínimo. Actúan sólo por el placer de hacerlo, por una suerte de excitación interior. El poder creativo se desarrolla en cada una de ellas. No ha sido fácil: tal vez han tenido que enfrentarse con serias dificultades, pero la ilusión con la que han emprendido el proyecto y la excitación que sentían mientras lo llevaban a cabo no podrán olvidarse jamás.

Sin embargo, esta energía llena de placer, de pasión, muere en nosotros durante la juventud. ¿Por qué? Porque no la valoramos como lo que es, algo grande e importante; porque dejamos que un dudoso sentido de lo que es la obligación la sustituya; porque, en el fondo de nosotros mismos, no la respetamos como a un elemento que debemos conservar y dejar crecer, y porque no la mantenemos viva en los otros, pues descuidamos la capacidad creadora de los demás.

Cuando volvemos a pensar en ello, descubrimos entonces que el único modo de llegar a amar a otra persona no es como nos ha mostrado el estereotipo del cristianismo, es decir, sirviendo un plato de sopa a aquel que se encuentra enfermo o que lo necesita, sino de otro modo: permitiéndole que descubra lo que hay en sí mismo de Dios y de poeta. Por medio de este comportamiento, de esta actitud, se mantiene viva en cada uno su parte de Dios, su parte de artista y conseguimos que florezca y se desarrolle.

¿Cómo muere en nosotros este impulso creativo? La profesora de lengua escribió alguna vez con agresividad contenida en los márgenes de vuestros cuadernos, con lápiz azul: «Volved a escribirlo», y os ayudó a matar vuestro impulso. La crítica en el seno de la familia os destruyó. Éstos suelen ser los grandes asesinos de vuestros impulsos creativos: especialmente los maridos y los hermanos mayores que se ríen con desprecio de sus esposas o hermanos menores, respectivamente, y matan en ellos su potencial expresivo. Lo que los americanos llamaban en el pasado «estar bromeando», da como resultado que os sintáis avergonzados cada vez que deseéis expresar el más mínimo entusiasmo o sentimiento sincero sobre alguna cosa. Pero ya me referiré más adelante a estos aspectos sociales.

Habréis notado cómo en alguna ocasión educadores, críticos, padres y todos aquellos que os rodean, cuando escuchan lo que habéis escrito, se vuelven remilgados y fruncen el ceño con desdén.

¡Una palabra mal escrita! ¡Como si Shakespeare jamás hubiera cometido errores! ¡Como si lo que se aprende a través de la gramática o en un libro de retórica tuviera alguna relación con la libertad y con la imaginación!

Un amigo, en una ocasión, me habló sobre ciertas dedicatorias que había leído en algunos libros, del tipo: «A mi esposa, gracias por su útil crítica...» Él pensaba que la dedicatoria, en el fondo, quería decir lo siguiente: «A mi esposa. Si no hubiera sido por su continua y persistente crítica y por sus quejumbrosas dudas sobre mi posible habilidad, probablemente este libro habría sido publicado en Harper's y no en The Hardware Age».

A menudo aparecen artículos redactados por críticos de muy alto nivel o por importantes escritores. Tanto unos como otros deploran los intentos llevados a cabo por la gente corriente para aprender a escribir de forma creativa. Los críticos nos golpean las cabezas con sus nudillos para ponernos nerviosos. Sólo a los virtuosos debería permitírseles realizar esta acción. Los escritores de renombre venden curiosos artículos sobre aquellos a quienes consideran locos o presuntuosos porque piensan que pueden escribir. Ello es correcto, en cierto modo. Pero éste es sólo uno de los resultados: todo aquel que intenta escribir se convierte en alguien ansioso, tímido y perfeccionista, tan terriblemente inseguro acerca de los resultados que, como mínimo, pensará que nunca será tan bueno como Shakespeare. Y de este modo, se comprende la razón de que no escriba o de que esta experiencia se posterigue mes tras mes, década tras década.

Cuando escribimos, debemos sentirnos ante todo libres

de experimentar que siempre habrá algo bueno en los resultados; lo que en ningún caso debemos sentir es ansiedad. Sólo los buenos maestros, aquellos que os aman tanto como amáis vosotros a vuestros mejores amigos, pensarán que hay algo interesante, importante o creativo en lo que escribís. Su actitud será la siguiente:

«Continúa. Cuéntame todo lo que puedas. Me gustaría comprender lo que sientes y conocer todos los cambios que se realizan en tu interior: deja que todo ello fluya hacia el exterior.»

Y si no tienes esta clase de maestros y deseáis escribir, entonces hacedlos vivir en vuestra imaginación.

Personalmente, odio la crítica ortodoxa. No me estoy refiriendo a la de grandes críticos como Matthew Arnold y otros, sino a aquella que se sustenta en insignificancias, en una exigente y amordazante opinión (en la que se resalta todo lo equivocado), con la que piensan que pueden ayudar a la gente, cuando lo único que consiguen es colocarles camisas de fuerza y llenarlos de dudas y de falta de seguridad en sí mismos. Destruyen así lo poco de valor que aún habitaba en ellos.

No les detesto por sus efectos sobre mí, pues por lo menos yo no les dejé que entraran e influyeran en mi espacio; los desprecio por toda la influencia que potencialmente pueden ejercer sobre personas de cualquier edad. Son asesinos de talentos, porque a menudo la gente más modesta y sensible es la mejor dotada, lo más llena de imaginación y simpatía, aunque también la más propensa a ser anulada por esta clase de individuos. Son los brutales egoístas quienes sobreviven.

Por supuesto, es de justicia recordar que nosotros, los escritores, somos, de entre todos los artistas, los que más sufrimos. Siempre *esperamos* más que ningún otro tipo de personas.

Si una mujer joven escribe un poema y se lo rechazan, no volverá a escribir otro en los próximos dos años, o tal vez nunca más. Ahora pensemos en la paciencia y cariño que una bailarina o una acróbata pone en su trabajo, o en las incalculables horas que Kreisler ha dedicado a ensayar sus notas musicales. Si cada persona practicara su estilo de escritura tanto como Kreisler ensaya su canto, os aseguro que podríais llegar a ganar el Premio Nobel dentro de diez años.

Recordad estas palabras: a partir de ahora escribiréis con toda la inteligencia y amor, como hace Kreisler con sus composiciones. Hay que trabajar libremente y con fluidez, como cuando hablamos a alguien que nos ama. Al menos tres o cuatro veces al día, alejaos mentalmente de todos los conocidos, críticos y personajes que se burlen o duden de vosotros. Entonces trabajaréis durante horas sin caer en el desaliento. En este libro intentaré demostrar cuán importante es que os comportéis de este modo.

Capítulo II

La imaginación es el Cuerpo Divino
en cada ser humano
William BLAKE

He demostrado que todos podéis ser originales y estar llenos de talento, y también que podéis dejar fluir los impulsos creativos.

Muchas veces esta pasión se halla inhibida por diversos motivos. Como he afirmado en el capítulo anterior, la crítica, la falta de confianza, los miedos no logran expresarse y, por lo tanto, superarse a través de acciones externas a nuestro mundo interior como pueden ser correr, subir escaleras, tachar palabras de una lista o simplemente pensar que uno es eficiente. A menudo la ansiedad logra convertirse en un modo de vida y, por una serie de temores, no se superará jamás.

Actualmente pienso que este poder creativo es equiparable al Espíritu Santo. Mi sentido teológico no debe de ser, sin duda, el más ortodoxo, pero así es como opino. Sé que William Blake llamó a este poder creativo Imaginación y que lo equiparó a Dios. Y él debía de saberlo mejor que nadie, pues no en vano se le considera como el más grande de los poetas y artistas de todos los tiempos.

Blake pensaba que este poder creativo debía mantenerse vivo en cada ser humano durante toda su existencia. Coincido con él, porque la creatividad es la vida misma... Es el Espíritu. De hecho, se trata de lo más importante que poseemos. El texto es sólo piernas, estómago, esqueleto, materia y miedos.

¿Cómo mantener, entonces, este espíritu vivo en nuestro interior? Usándolo, dejándolo salir, invirtiendo algún tiempo en conseguir nuestro propósito. Desgraciadamente, muchas mujeres siguen pensando que es más importante limpiar narices y hacer la compra que escribir o tocar el piano; y hay muchos hombres que pasan su vida sumando, restando y dictando cartas, cuando en realidad desean escribir sonetos y tocar el violín, o dejar brotar libremente lágrimas de emoción ante un atardecer.

Ellos no saben, como Blake, que están pecando contra sí mismos. Sin duda, serían mucho más importantes, se querrían mucho más y se sentirían llenos de luz y de fuerza si se dedicaran a escribir los sonetos que desean, tocaran algún instrumento o se emocionaran abiertamente.

Me detendré en este punto y os contaré algo acerca de Blake. Deseo mostraros los beneficios que brinda el uso del potencial creativo; quiero enseñaros un atisbo de lo que es y de lo que parece (hablar de ello con más profundidad me llevaría un libro entero).

Blake solía afirmar que cuando las energías se desviaban de su escritura o de sus dibujos «se sentía devorado por chacales y hienas». Su amor por el Arte (por ejemplo, al expresar las ideas procedentes de su Imaginación, a través de la escritura o de la pintura) era tan grande que lo reconocía en todo aquello que amaba. De este modo, y dado que él amaba a Jesús y a sus discípulos, acostumbraba a decir que «todos ellos eran unos artistas».

A Dios lo llamó en ocasiones «Genio Poético» y señaló: «Aquel que ama, siente que el amor desciende a él y, si tiene sabiduría, puede percibir en sí mismo el Genio Poético, que es el Señor».

Este uso de su poder creativo lo convirtió en uno de los seres más felices que hayan existido jamás. A su muerte dejó una prolífica obra poética sin la menor esperanza de que algún día llegara a publicarse. Cuando consideraba que había dedicado más tiempo al grabado y a la pintura que a la escritura, tomaba unos meses de descanso. A veces comprobaba que pintaba más cuando dejaba fluir su escritura visionaria. Todo esto prueba que cuanto más se utiliza con plenitud el poder creativo —como las niñas que producen sus obras de teatro— mejores resultados conseguimos.

En relación a Blake y la felicidad, un hombre que le había conocido dijo: «Si alguien me preguntara acerca de si he conocido alguna vez, entre tantos intelectuales, a un hombre feliz, sin dudarlo el primero que aparecería en mi recuerdo sería Blake».

Además, este poder creativo de Blake no provenía de la ambición. (Pienso que, en cierto modo, la ambición daña esa energía creadora y la transforma en tensión nerviosa, lo que dificulta la tarea.) Quemó parte de su propio trabajo; fue consecuente con sus palabras: «Me sentiría apenado si alcanzara fama en la Tierra, porque cualquier éxito que se logre, aunque sea de forma más natural, irá siempre en detrimento del logro espiritual. No deseo recibir ningún beneficio. Deseo vivir para el Arte. No quiero ninguna otra cosa; de este modo me siento lo suficientemente feliz».

En los últimos años de su vida, deseó a una niña «que Dios hiciera un mundo tan hermoso para ella como lo había sido para él».

No pensó en la muerte hasta el final. Dijo siempre que era como entrar en otro recinto. Hasta poco antes del fatal desenlace, estuvo componiendo alabanzas para el Creador y las cantaba a su esposa. Justo antes de morir, su semblante se tornó amable, sus ojos brillaron y estalló en cánticos sobre todo aquello que comenzaba a vilumbrar en el Cielo.

«¡La muerte de un santo!», exclamó una pobre mujer que había venido para ayudar a la señora Blake en las tareas domésticas.

Y éste ha sido el hombre que mejor ha logrado transmitir sus sentimientos sobre Dios y el Demonio. Insistió en que la mayoría piensa, equivocadamente, que Dios es simplemente prudencia, el represor e inhibidor de la energía, lo que conduce al temor, a la pasividad y a la «muerte de la imaginación».

Lo que nosotros a menudo denominamos «razón» o «sensatez» y pensamos que es tan importante, no se identifica de ningún modo con la inteligencia o la comprensión de las cosas, sino que es la discusión que mantienen nuestra memoria y las sensaciones que recibe nuestro cuerpo con las advertencias de quienes nos rodean. Ser demasiado sensato puede resultar bastante aburrido. «Esto no compensa.» «La gente pensará que esto es una tontería.» «Nadie lo hace.» «Esto es inmoral», son las frases típicas que nos dicta la sensatez, y que sirven al mismo tiempo para que evitemos cometer la osadía de experimentar las cosas.

Pero el único modo de crecer, comprender y descubrir si algo es malo o bueno, dice Blake, es haciéndolo. «Es más fácil ahogar a un niño en la cuna que atender a los deseos insatisfechos.»

La «Razón» como la denomina Blake (que en realidad es sólo prudencia) seca sin cesar la imaginación y la pasión, la libertad y el entusiasmo que habita en nosotros. Esto es el Demonio, afirma Blake. Es el único enemigo de Dios. «Nada le agrada más a Dios que la creación de belleza y su exaltación.» En una ocasión, un ciudadano importante de esa época, un lógico, erudito, comedido y racional «sabelotodo», previno a la gente contra el «mero entusiasmo». Blake escribió con ira (y eso que su corazón era tierno): «El entusiasmo debe estar por encima de todas las cosas».

Os cuento todo esto para que comprendáis mejor cuál es vuestro trabajo a la hora de escribir o de llevar a cabo cualquier otra actividad creativa que elijáis realizar. Sé que si logro que vosotros sintáis todo *esto*, lo llevaréis a cabo y persistiréis en ello, y no sólo durante unas pocas semanas, sino durante el resto de vuestras vidas![1]

Pensamos que la noción de «deber» tiene que hacer acto de presencia desde que decidimos iniciar nuestra experiencia como escritores. No estoy de acuerdo. El «deber» surgirá cuando nos enfrentemos al texto, ya escrito. La escritura, el esfuerzo creativo, el uso de la imaginación; esto es lo que debemos cultivar desde el principio, al menos un rato durante todos los días de nuestra vida. Saber cómo utilizar estos medios es, de hecho, una bendición. Si utilizáis la imaginación os sentiréis más felices, más iluminados, despiertos, con el corazón lleno de luz y generosidad hacia todo el mundo. La salud también mejorará y desaparecerán los achaques propios de la desilusión, el aburrimiento... y hasta los resfriados.

Conozco a una gran mujer que se dedica a dar lecciones de violín durante el día (se llama Francesca, ya me referiré a ella más adelante.) Desde la medianoche hasta las cinco de la mañana se siente feliz porque puede ocuparse de la escritura de su libro: ésta es su rutina diaria. El libro es la obra de su vida; ha estado trabajando en él durante treinta años. Espera poder contar a la gente cómo aprender a tocar el violín de una manera armoniosa en dos años en lugar de en diez; desea hacerlo porque sabe cuán importante es para cada ser humano tocar un instrumento y estar en contacto con la música.

Un día que vino a verme estaba muy resfriada. «¡Oh, acuéstate rápido!», le dije, «te prepararé un zumo de limón bien caliente y te cubriré con una manta».

---

1. Cada vez que hablo de «escritura» en este libro, me estoy refiriendo también a cualquier disciplina que os guste y que deseéis hacer. Puede tratarse de una tragedia en seis actos compuesta en verso libre o blanco, puede tratarse de costura o de acrobacia, o puede consistir en la invención de un nuevo sistema de doble entrada para el libro de contabilidad. Pero cada uno debe aasegurarse de que todas sus acciones estarán respaldadas por la imaginación creadora y el amor, y de que no se hallará movido sólo por decisiones tales como, por ejemplo, conseguir dinero o impresionar a los demás.

Entonces abrió los ojos y dijo con cierto tono de fastidio:

«¡*Ése* no es el modo de tratar un constipado! ¿Sabes?, ayer me deprimí un poco y pesqué este resfriado. Pero después de haber etado trabajando durante toda la noche, me siento algo mejor.»

En este libro, como podréis comprobar, os voy a dar una buena razón para que trabajéis vuestro estilo de escritura con constancia y hasta con cariño, prestándole la atención que merece. Deseo lograr que sintáis la enorme recompensa que existe en el proceso de la escritura en sí, siempre que no os deis por vencidos muy pronto. Unos pocos escritos rechazados o unos años sin ganar dinero, pueden llevar a cualquiera a abandonar la experiencia y conducirle a pensar que ha sido una pérdida de tiempo.

Intento, pues, demostraros que existe otro tipo de recompensa y que la escritura —aun dentro de este panorama— no es una pérdida de tiempo. Ningún proceso creativo en el que se hallen implicados los sentimientos, la imaginación y la inteligencia puede considerarse una pérdida de tiempo.

En cada frase que escribáis, habréis aprendido algo; esta vivencia representará un cambio en lo más íntimo de cada uno, pues habrá servido para ampliar vuestra capacidad de comprensión. Aun cuando no lograrais publicar nada, incluso aunque no consiguierais ganar ni un céntimo con ello, valdría la pena continuar escribiendo.

Capítulo III

Por qué un noble caballero
del Renacimiento escribía sonetos

Tal vez, cuando sintáis la tentación de dedicaros a la escritura, aparezca en vuestro fuero interno cierto tipo de pensamientos: «No lograré ganar dinero», o «Nunca conseguiré publicar nada»; ésta es la clase de ideas que no permiten avanzar y que secan la energía que habita en cada ser humano, pues provocan que éste no consiga acercarse a una hoja de papel.

Me he hallado a menudo en esta situación. En las páginas que siguen, os explico de qué forma he logrado dominarla.

Durante el Renacimiento, los caballeros escribían sonetos. Sabemos con certeza que al hacerlo, no se planteaban la posibilidad de que éstos aparecieran publicados en *Los cien mejores poemas de amor en lengua...*, así que cabe preguntarse: ¿por qué los escribían?

En la actualidad, una buena razón para escribir sonetos sería la esperanza de que, efectivamente, quedaran recogidos en *Los cien mejores poemas de amor en lengua...*; pero aun con todo, existen otras razones no menos importantes que ésta. Es más: probablemente el soneto no acabara apareciendo en *Los cien mejores pomas de amor en lengua...*, por lo que la existencia de dicho soneto se debe a esas otras razones que mencionábamos antes.

Un caballero renacentista, pues, escribía sonetos por diversos motivos. Uno, muy sencillo y hasta casi obvio, era porque quería mostrar a la gente que sabía cómo hacerlo. Pero la razón más importante era la de poder expresar a una dama el amor que sentía por ella (aunque se solían componer bellísimos sonetos del más variado contenido: plegarias en forma de soneto, indignantes cartas de negocios y hasta argumentos de índole política).

Pero pongámonos en el supuesto de que este caballero había escrito un soneto de amor a una dama. Su pecho estaba henchido de sentimientos reprimidos que no podía expresar de otro modo, así que lo hacía de la forma más elocuente, bella y apasionada que conocía: a través del papel.

Sabía que aquel soneto jamás sería publicado y que no ganaría dinero con él. No recibiría más recompensa que la de aquel que canta en una coral a Bach sin esperar nada a cambio o como la de la niña de diez años que ha escrito sus obras de teatro y sólo ha recibido unos pocos peniques el día de su actuación.

Sin embargo, hubo una secreta recompensa al escribir este soneto y es que, a través del papel, el caballero reconocía sus sentimientos y profundizaba en ellos, comprendía mucho mejor lo que es el amor, y diferenciaba qué parte de estos sentimientos era puramente literaria y qué parte era real; y todo ello mientras disfrutaba con el uso de una lengua, fuera el inglés o el italiano.

Si pudierais leer las cartas que escribió Van Gogh a su hermano, reconoceríais con facilidad qué es el impulso creativo y os daríais cuenta de que es algo tan sencillo como esto: Van Gogh amaba algo, pongamos, por ejemplo, el cielo. Amaba, también, a los seres humanos. Por lo tanto, deseaba mostrar a los hombres cuán hermoso puede llegar a ser percibido el cielo. Entonces lo pintaba. Eso es todo.

Durante su juventud, cuando contaba más o menos veinte años de edad, Van Gogh se preparaba en Londres para ser clérigo; aún no deseaba ser artista. Una vez se sentó frente a la ventana de su sencilla habitación a escribir una carta a su joven hermano, que vivía en Holanda. Van Gogh sentía un profundo cariño por él. A través de los cristales empañados por la lluvia pudo vislumbrar un farol que brillaba como una estrella. En la carta le contó a su hermano lo siguiente: «Es tan hermoso que debo mostrarte cómo brilla». Entonces, sobre un sencillo papel plasmó el dibujo, tierno y bello, que le había inspirado esta vivencia.

Cuando leí la carta me sentí reconfortada y tuve la sensación de que algo se aclaraba sobre el infinito camino del Arte. Durante años pensé que para pintar un cuadro o escribir era necesario reflexionar sobre el objeto que se iba a tomar como referencia con extrema seriedad, midiendo todo lo armonioso, lo equilibrado que es; analizando en profundidad las obras de otros artistas que lo habían plasmado antes. También creía que se debía tener cuidado con el diseño, el equilibrio, y planificar la ejecución de la obra evitando —con gran intransigencia— mostrar bajo ningún concepto la tendencia académica. Etcétera.

Pero cuando leí la carta de Van Gogh, supe lo que significaban el impulso creador y el Arte. Es un sentimiento de amor[1] y de entusiasmo hacia algo tan apasionado y sencillo que no podemos evitar compartir tanta belleza con los demás.

La diferencia entre Van Gogh y cada uno de nosotros es que nosotros miramos el cielo y pensamos que es realmente hermoso, pero no avanzamos hasta el punto de desear compartir con otros esta experiencia. Una sencilla razón de que obremos de esta manera tal vez sea que no prestamos tanta atención al cielo ni a los que nos rodean. Puede que esto suceda porque a lo largo de nuestras vidas han ido menosca-

---

1. O también puede ser un sentimiento de odio, de aborrecimiento. Sin embargo, los resultados de los trabajos realizados por los seres humanos cuando los ha movido el amor parecen ser mucho mejores que cuando son obra del odio.

bando la importancia que pudiera tener el cielo para nosotros.

El pequeño dibujo del crepúsculo realizado por Van Gogh fue un trabajo artístico porque él se tomó muy en serio los sentimientos producidos por la visión del cielo y de la luz del farol. Para él fue una experiencia importante y, como tal, el dibujo fue realizado con extremo cuidado y con una profunda conciencia del momento vivido: lo plasmó con todo el amor que sentía. Nosotros lo hubiéramos dibujado con rudeza. Pienso que éste habría sido un buen ejercicio para todos. Había confianza y seriedad en Van Gogh.

Esto es lo que Van Gogh escribió acerca de las personas como nosotros, cuyo impulso creativo resulta confuso (y no simple, como es en esencia) y se halla a menudo mezclado con otros deseos, como el de impresionar a los demás (y no precisamente el de decir la verdad) y hacer lo que los críticos afirman que deben hacer los artistas:

«Cuando veo que los jóvenes pintores componen y dibujan *de memoria*,[2] y luego denostan con actitud pesimista todo aquello que les parece que ha sido realizado también *de memoria*, me lleno de disgusto y me siento hastiado.

»Ellos no logran comprender por qué la figura de un trabajador —algunos surcos en un campo arado, un poco de arena, agua del mar y cielo— son objetos tan serios, tan difíciles como hermosos a la hora de realizarlos. No estaría mal dedicar parte de nuestra vida a la tarea de expresar la poesía escondida en ellos.»

Para mostrar el impulso creativo de Van Gogh, hay que señalar su enorme genialidad y aclarar que se inspiraba, a la hora de hacer sus composiciones, simplemente en el amor que sentía hacia lo que veía y en el deseo de querer compartirlo con los demás; con generosidad, y no con el propósito de exhibir sus obras. Añado a continuación algunas reflexio-

---

2. Las cursivas son suyas.

nes que realizó en sus cartas para mostraros que lo que este hombre poseía era exactamente lo que todos tenemos en nuestro interior. Analizar estos puntos es uno de los objetivos de este libro.

«Mi única ansiedad es pensar si lo que soy capaz de hacer... podrá ser bueno y útil para alguien; en el cuadro deseo expresar algo que pueda consolar del mismo modo que lo hace la música.»

«A menudo paseábamos juntos. El lugar era hermoso; bastaba con abrir un ojo en el que no hubiera ni una brizna de paja para darse cuenta. Pero aun cuando el ojo tuviera una viga, el lugar sería hermoso igualmente.»

«Los pintores deben comprender la naturaleza, amarla y enseñar a observarla.»

«Aquel amanecer, cuando regresábamos mi padre y yo de Zundert cruzando el brezal, el sol se tornaba rojo detrás de los pinos y el cielo se reflejaba en los estanques; el brezal y la arena amarilla y blanca lucían tan llenos de armonía y sentimiento que comprobé cómo hay momentos en los que todo en nuestro interior se encuentra lleno de paz, y nuestra vida se asemeja al corredor a través del brezal, sin embargo, también sé que esto no ocurre siempre.»

«Lo que ha cambiado es que ahora mi vida tiene menos dificultades, aunque en el fondo la situación no ha variado. Lo único que ha cambiado de verdad es que ahora pienso y amo más seriamente que antes.»

«En una ocasión en que me encontraba enfermo y caía una nieve húmeda que se derretía fácilmente, me levanté por la noche para mirar el campo. Nunca, nunca en mi vida me pareció la naturaleza tan intensa e impactante.

»En unos pocos años tengo que terminar un trabajo. No debo apresurarme; no es bueno. He de trabajar con calma y serenidad, con tanta regularidad y concentración como sea posible, de modo conciso.

»El mundo sólo me concierne en tanto siento una cierta

deuda y un deber hacia él y, además de mi *gratitud*,[3] deseo dejar algún recuerdo a través de mis dibujos y pintura, no para estar de acuerdo con una cierta *tendencia del arte*, sino sólo para expresar mis sentimientos más sinceros.»

En cada una de estas afirmaciones logramos reconocer el impulso de Van Gogh; sin embargo, en nosotros este impulso se encuentra oculto y confundido por preguntas tales como: ¿será este trabajo bueno o malo?, ¿será considerado un objeto artístico?, ¿será lo suficientemente moderno o resultará demasiado academicista?, ¿recibiré por él una cantidad de dinero que compense el tiempo invertido?

Van Gogh fue uno de los grandes pintores de su tiempo. En la actualidad, cualquiera de sus cuadros está valorado en millones de dólares. Toda su vida estuvo llena de privaciones, soledad, pobreza y carencias, que lo condujeron a la locura. Y sin embargo, tuvo una de las existencias más felices y apasionadas que se hayan podido vivir. Hasta tal punto fue importante su vida que unas pocas palabras que dejó escritas en sus cartas han cambiado por completo mi existencia, muchos años después de su muerte.

Uno de los aspectos más interesantes de la recompensa interior se sustenta en cierta expansión del entendimiento, en una suerte de iluminación. Cuando pintaba el cielo, Van Gogh era capaz de mirarlo con arrobo, mucho más que si sólo se hubiera detenido a observarlo. Del mismo modo (como pude explicar en alguna de mis clases), nadie conocerá profundamente a su esposo, salvo que trate de dibujarlo; nadie podrá comprender a su pareja, salvo que intente escribir una historia acerca de ella.

Si comparto estas reflexiones con vosotros es porque me

_____

3. Las cursivas son mías. Y como podéis ver, él trabajó movido por el amor y la generosidad. En esa época la sociedad trató a Van Gogh tan mal como jamás pudiera tratarse a un artista. Se volvió loco a consecuencia de la pobreza y la escasez. Un falso artista que hubiera trabajado sólo para impresionar a los demás se habría sentido mucho más ofendido.

han servido para vencer mis propias dificultades. Uno de los mayores obstáculos e inhibiciones para mí ha sido pensar en el dinero. Si escribís obsesionados por la imagen del beneficio económico, en realidad no lograréis ganar dinero con vuestra tarea porque ésta aparecerá vacía, seca, fría y sin vida. Por otra parte, si sólo os dedicáis a ganar dinero, luego os sentiréis avergonzados de ello. Los trabajos publicados os servirán como indicio.

Otro obstáculo, en mi caso, era la idea que tenía de que a través de la escritura uno se puede lucir y (dado que yo quería ganar dinero y deslumbrar al público),[4] situarse en una posición bastante privilegiada.

Finalmente comprendí, a través de William Blake, de Van Gogh, de otros importantes pensadores y también a partir de mi propia reflexión, que la verdad se encontraba en mi interior; lo que aprendí a plasmar y a defender tanto como ahora trato de influir en cada uno de vosotros en la defensa de la verdad interior. Pude así comprender lo que realmente significaba la escritura: un impulso para compartir sentimientos o verdades con los otros seres humanos. No se trata de predicar, sino de dar a quienes puedan oír. Y si no pueden, no importa. No necesitan escuchar. Eso es todo. Nunca caería en ninguno de estos dos extremos. «No tengo nada que decir ni tengo nada importante que expresar o que dar a los demás» y «el público no desea un buen material.»

---

4. Recordad que cualquier estímulo, además de la escritura, que os produzca todas estas emociones también vale la pena. Usadlo. Comenzad. Si deseáis únicamente deslumbrar a los otros, intentadlo; a todos os deseo buena suerte. En mi caso, el motivo fue la exhibición y dio como consecuencia un resultado nauseabundo. La experiencia me ha demostrado que, después de un tiempo, los motivos que apuntan a deslumbrar al público dan malos resultados. Pero si el culto al *yo* y al exhibicionismo son los motores que os impulsan, también os animo a seguir adelante. Bienvenido sea todo aquello que os impulse a escribir. Estoy convencida de que, con la práctica, pasaréis por esta situación; cuando la superéis, surgirá una motivación más auténtica.

Una vez aprendidas estas cuestiones, logré escribir con libertad y con cierta jovialidad, y nunca más me sentí culpable o tensa por poseer el don de la escritura; tampoco sentí que me impulsara a escribir un motivo siniestro o que la ambición me hiciera apretar los dientes; como les ocurre a algunos hombres de negocios que, en su lucha egoísta, olvidan cualquier sentimiento de amor y la importancia de la imaginación, y muy pronto se convierten en artríticos emocionales y espirituales, tan calcificados y poco creativos como momias.[5] (Llegué a comprender todos estos argumentos porque los viví en mí misma, aunque fuera a una escala muy pequeña; trato de no hablar sobre aquello que no he experimentado.)

En efecto, a través de mi propio trabajo pude darme cuenta de que la escritura no es un tipo de espectáculo, sino una expresión de generosidad.

Hace tres años le escribí a alguien:

«Creo que deberías redactarlo otra vez. Pienso que hay algo interesante en tu texto y que hay en él un toque de "trabajo creativo" (perdona este término),[6] un estado de excitación. Esto es equivalente a lo que sucede con un grifo: cuanto más logres abrirlo, más agua saldrá por él.

»En este horrible siglo XX vivimos inmersos en un materialismo tal que nos lleva a preguntarnos para qué sirven la escritura, la pintura o cualquier otra actividad artística si con ellas no conseguimos una notable audiencia o ganamos bas-

---

5. Serán escasamente creativos para hacer sus negocios, porque el poder creativo se expresa en los negocios tanto como en otras facetas. Conozco a un ejecutivo cuyas frases eran mucho más vitales y mostraban una visión más generosa y creativa que las de muchos artistas. Pero el problema que existe al expresarse en los negocios con tanta libertad como en el arte es que uno no puede ser imprudentemente generoso dando salarios cada vez más altos y ofrecer amorosamente todos los productos al público sin cobrarlos.

6. Emplear la palabra «creativo» siempre me ha desconcertado. Tanta gente la ha gastado al usarla... Pero debo utilizarla. Esto es lo que quiero expresar.

tante dinero. Sócrates y otros filósofos coetáneos hicieron mucho más porque para ellos la recompensa era intrínseca; consistía, por ejemplo, en la expansión del alma.

»Sí, somos demasiado materialistas respecto a estos temas. ¿Para qué sirve?, preguntamos siempre que hacemos algo, preocupados por ver si conseguimos éxito o dinero con ello; y no pensamos que cuando alguien se muere, ahí se quedan su éxito y su dinero. Sócrates y los griegos consideraban que la vida de un ser humano debía estar en armonía con las "tendencias del Alma" (el Alma incluía para ellos la inteligencia, el espíritu, la comprensión y la personalidad). Gracias al alma vivimos eternamente, con todas las posibilidades.

»Pienso que es correcto trabajar por dinero, trabajar para poder adquirir los objetos que necesitamos, aunque fuesen unos pocos; el error consiste en sentir que el trabajo, el esfuerzo y la búsqueda no son los elementos verdaderamente importantes de la existencia. Uno no puede esforzarse en escribir una historia corriente, popular, si no aprende algo sobre las cosas que no son corrientes. Pero, bien, ya es suficiente. No comenzaré a delirar.»

Ya he desarrollado con amplitud algunas de las razones por las cuales podréis trabajar de ahora en adelante con verdadero amor, imaginación e inteligencia, sobre todo en la escritura o en la tarea que realmente os interese. Si lo hacéis, de todas las montañas que logréis escribir, será publicada —con seguridad— alguna colina. O tal vez lleguéis a amasar una fortuna o ganéis el Premio Nobel. Pero aun cuando nunca lograrais publicar ni ganar un céntimo, la experiencia de la tarea en sí misma ya habrá dado sus frutos.

Capítulo IV

*La imaginación trabaja
lenta y silenciosamente*

En este capítulo trataré de explicar en qué consiste el poder creativo, cómo todos pueden llegar a descubrirlo en nosotros mismos y cómo podemos separarlo de las dudas que siempre nos asaltan y de los exámenes a los que continuamente nos sometemos, y sobre todo, cómo podemos separarlo de la memoria. Por culpa de la memoria y la erudición (por ejemplo: los recuerdos de ciertos acontecimientos difíciles a los que nos hemos tenido que enfrentar en alguna ocasión en nuestra vida) se puede sofocar fácilmente la creatividad.

A menudo escuchamos la palabra Inspiración e imaginamos algo que viene de afuera como un borbotón de luz, bajo cuyos efectos, en un rapto iluminado de los sentidos, con el cabello revuelto y una excitación enfervorizada, un poeta o un artista comienza a pintar o a escribir impulsivamente. Siempre me ha despertado una profunda tristeza imaginar que esto era la Inspiración, pues nunca he sentido nada parecido.

Cuando la Inspiración llega, lo hace de un modo lento y silencioso. Pongamos el ejemplo de alguien que desea escribir. Lo nomal es que no lluevan demasiadas ideas al primer intento; quizá ninguna. Esta persona puede sentarse ante la máquina de escribir sin pulsar ni una sola tecla, mirar por la ventana y enredar los dedos en el cabello, con una mirada ausente, durante una o dos horas. No importa. Esto también es positivo porque puede suceder que, en este estado de ensoñación, tarde o temprano pueda escribir algo sobre el papel. Lo que sí importa es saber que ha de sentarse un rato al día siguiente, y lo mismo al otro día, y así todos los días durante algún tiempo.

La idea preconcebida de que tenemos que estar activos y llenos de energía a todas horas es errónea. Bernard Shaw afirmaba que no era verdad que Napoleón estuviera siempre dando órdenes a una docena de secretarios y ayudantes, tal como se nos ha contado; seguramente dedicaba un tiempo, tal vez meses, a madurar estas decisiones. Ésta es la razón de que, a menudo, personas inteligentes, que sienten inclinación a hacer las cosas en el momento y que a su vez empujan a otros a comportarse como ellos, suelen pensar que no son creativos. Pueden serlo, en efecto, pero es necesario que concedan al ocio, a la pereza o a la soledad un rato, y que permanezcan durante ese lapso de tiempo tan inactivos como un hombre que pesca en un dique mientras mira y piensa en silencio. Esta mirada silenciosa y este modo de pensar constituyen la imaginación, porque permiten que fluyan las ideas. No hay ninguna perspectiva imaginativa en el hecho de hacer[1] algo que ya conocemos de antemano, algo que nos ha sido señalado o mandado por alguien. En ese momento la mente se vuelve terriblemente estéril y seca porque cuando realizamos una cosa detrás de la otra, el proceder es rápido, decidido, eficiente. Y esto es así porque nadie tiene tiempo para desarrollar sus propias ideas y dejar que éstas surjan con su renovado esplendor.

Cuando vosotros deseéis tomar una decisión, concentraos; pensad en todas las posibilidades. De este modo, estaréis ex-

---

1. Mis términos horrorizarían sin duda a un psicólogo, pero a mí no me importa.

presando el temor imaginario a no ser capaces de realizar vuestros deseos. Si supierais de antemano que podríais realizar vuestros propósitos sin problemas, sonreiríais con expresión feliz y os pondríais manos a la obra. El temor (puesto que la imaginación es siempre creativa) se hace presente de golpe y si es lo suficientemente fuerte puede hacernos caer en una profunda depresión durante semanas o años, y acabar con los logros que hubiéramos obtenido hasta ese momento.

¿Por qué llegan las personas a esta situación de depresión? Porque están llenas de temor; este temor trata de dominarlas y las conduce a la única razón de su existencia: ganar dinero y obtener todo tipo de seguridades. Si los que tienen hijos tratan de controlarlos y dominarlos todo el tiempo es porque tienen miedo de que éstos no se sientan seguros, pensando tontamente que a través de la autoridad se les garantizará este sentimiento de seguridad. Del mismo modo, utilizamos la voluntad para conseguir que los logros financieros, artísticos, éticos o de la índole que sean nos brinden seguridad.

Los grandes artistas, como Miguel Ángel, Blake, Tolstoi o Cristo, a quien Blake llamó artista porque poseía una de las imaginaciones más creativas de la Tierra, no buscaban seguridades, no eran egoístas ni materialistas. ¿Por qué ellos eran diferentes? Quizá la respuesta se halle en estas palabras: «No debemos estar ansiosos por el mañana», y «¿quién puede, sólo por estar ansioso, crecer un centímetro más?»

Ellos se atrevieron a disponer los ratos de ocio, es decir, a no pasarse todo el tiempo presionados y llenos de obligaciones. Se atrevieron a amar a todas las personas —las buenas y las que no lo eran tanto— y se atrevieron a tratar de estar con los demás sin intentar controlarlos ni dominarlos, ni señalarles lo más conveniente para cada uno. Para las personas creativas, saber lo que puede ser bueno o conveniente forma parte de la libertad de cada uno: en esto consiste la imaginación (o lo que también puede denominarse «concien-

33

cía» o «inspiración divina») que puede crecer por su propio impulso o energía e inducir a tomar unas determinaciones que quizá le parezcan al policía o a los asistentes a la iglesia una decisión errónea.

Descubrimos que no sirve de nada ser tan críticos con los demás, por ejemplo, cuando señalamos los errores ajenos sin plantear una posible solución o cambio que llevar adelante. Es mi deseo mostrar cómo estas personas pueden convertirse en seres creativos, llenos de imaginación. Sencillas y voluntariosas, viven agobiadas por un sinfín de tareas, hundidas en la rutina, bajo el peso de las obligaciones y los mandamientos, por lo que no proceden de un modo creativo, sino de un modo mecánico.

Hay un mandamiento que dice: «Honra a tu padre y a tu madre». Los seres humanos activos, eficientes y voluntariosos toman nota de esto cada día, se concentran y creen que cumplen el precepto. Sin embargo, sus padres sienten y saben que no es así, que ese amor no surge del corazón, pues las apariencias no logran engañarlos.

El hombre creativo dice: «Honra a tu padre y a tu madre... Esto es interesante... No parece que yo los honre demasiado... ¿por qué me sucede esto?» Y el pensamiento creativo lo conduce hacia cierto lugar, hacia cierta verdad, en la que aparece un padre que estaba siempre enojado y una madre que daba golpecitos a la cabeza del niño. Estos recuerdos le distraen, lo intenta de nuevo y se propone resolver este asunto, tratando de ser más bueno y procurando controlar su temperamento. Tal vez aparezca la idea de que, después de todo «eran *ellos* quienes estaban siempre enojados y aburridos... ¿será por todo esto por lo que yo soy como soy?» Y sigue adelante y busca y pide las respuestas a todos estos interrogantes planteados en su imaginación. Y quién sabe... con el tiempo podrá llegar a comprender lo que hizo Cristo (quien, como ya dije anteriormente fue uno de los hombres más imaginativos de la historia y cuya vida transcurrió con pasión y energía, en contra de todas las reglas establecidas mecánicamente). Los seres imaginativos son capaces de honrar y amar a las personas tal como son, con todas sus limitaciones.

Finalmente, uno llega a la conclusión de que la imaginación requiere un tiempo de madurez; un feliz, productivo e intenso tiempo para el ocio, para pasar el rato sin hacer nada. La gente que siempre está tan ocupada como un pajarito que construye su nido tienen torpes e insignificaantes ideas del estilo de: «Ahora sé cómo reducir en 328 pesetas mi presupuesto semanal». Pero estas personas no producen ideas importantes, esas brillantes, nobles y magníficas ideas que a veces se presentan cuando menos las esperamos, mientras corremos desesperados de oficina en oficina, bajando y subiendo escaleras y pensando que a través de la acción transformaremos nuestras vidas en algo más cálido y pleno de sentido.

Plotino, el gran filósofo místico, afirmó: «Así son los hombres, demasiado débiles para la contemplación». (Él utilizó esta palabra para referirse a la imaginación.) «Como no pueden entregarse a la contemplación a causa de la debilidad de sus almas, y no les es posible permanecer en contacto con la realidad espiritual y sentirse completos con ello, y como, a pesar de todo, desean poder ver esta experiencia, son conducidos hacia la acción para ver a través de ella lo que no logran ver con el ojo espiritual.»

Pero debo volver al punto central de este libro: la escritura.

Si deseas escribir, las ideas vendrán, sin duda, y brotarán de tal modo que tendrás algo que contar. Pero si no llegan buenas ideas, y pasa bastante tiempo, no te preocupes demasiado. Ese tiempo de espera es necesario. Anotarás todas las ideas por más insignificantes que te parezcan, aunque sin sentirte culpable ni por el tiempo que dediques al ocio ni por la soledad.

Debo aclarar algo al respecto: cuando la ociosidad se vive

como un comportamiento que ocasiona preocupación, inquietud o estupidez mental, entonces de nada sirve este estado, pues resulta estéril. Cabría pensar, en este caso, por qué el tiempo libre que no es creativo, como el que destinamos a alimentar nuestras mentes con toda clase de historias de detectives o artículos de revistas del corazón, no es considerado como demasiado inútil o poco provechoso.[2]

Los niños padecen de una «pereza ensoñadora»,[3] semejante al ocio que hace acto de presencia cuando caminamos solos durante bastante tiempo o perdemos un buen rato en vestirnos, o cuando permanecemos en la cama al anochecer mientras los pensamientos van y vienen o cavamos sin prisas en el jardín, o conducimos durante horas el automóvil, o tocamos el piano, o cosemos o pintamos. Sin duda, es un maravilloso momento de ocio aquél en el que una persona se sienta con un lápiz y un papel o ante su máquina de escribir para anotar todo aquello que desea que suceda en su historia. Todas estas situaciones, sin duda, propician el ocio creador. Insisto en aseguraros, con la mano en el corazón, que, muy a menudo y en ocasiones como las mencionadas, si prestáis atención podéis enriqueceros y recargar vuestra cálida imaginación con hermosos y vivos sentimientos.

---

2. Personalmente incluyo en esta categoría de tiempo libre no creativo gran parte del griterío, charla superficial de la vida de sociedad, juegos de cartas y todas las lecturas que «pasan» por una persona sin afectarla en lo más mínimo. Es decir, que leen sólo para matar el tiempo; este hecho les va afectando lentamente hasta corromperles el alma.

3. Afirmaréis que los niños no permanecen solos cada día durante cuatro horas o, por lo menos, que no quieren estarlo, y son creativos, aun sin pretenderlo durante todo el tiempo. Como se les despoja de todo deber y ansiedad, cuando sus padres los llevan a algún sitio, no están pensando nerviosamente: ¿llegaremos pronto o tarde?, ¿hemos dejado el horno encendido en casa?, etcétera, sino que se relajan, miran por la ventana y piensan. Viven en el presente: por eso los niños disfrutan tanto mirando y escuchando. ¿Por qué son tan buenos imitadores de los mayores? Porque son grandes observadores que atienden a las cosas que les interesan con mucha concentración. Después se les enseña a forzar la concentración dejando de lado la parte imaginativa, como nos sucede a los adultos.

Algunas personas, cuando se sientan a escribir y ven que no sale nada especial, se preocupan, se atiborran de café para poder avanzar más rápido, fuman en exceso, consumen drogas o beben. Lo que ellos no saben aún es que las buenas ideas tardan en aparecer y, cuando finalmente llegan, lo hacen con lentitud; cuanto más tranquilo se encuentre cada uno (y sin la ayuda de estimulantes), más lentamente se presentarán las ideas, pero, indudablemente, mejores serán.

A través de Tolstoi pude aprender todo esto. Estaba acostumbrada a beber mucho café y a fumar dos paquetes de cigarrillos diarios. Ambas cosas me ayudaban a trabajar sin descanso durante varios días. Lo triste de todo este asunto es que lo poco que lograba escribir no era demasiado bueno. Podía comenzar con facilidad, pero el resultado no era original y a menudo se entremezclaba con tópicos y elementos pretenciosos.[4]

Tolstoi afirmó al respecto: «"Si no fumo, no puedo escribir. No puedo avanzar. Comienzo y no puedo continuar." Esto es lo que habitualmente se dice y lo que yo afirmé también tiempo atrás. ¿Qué significa realmente?

»Significa que tal vez no se tenga nada que escribir, o que lo que se desea escribir no haya madurado aún lo suficiente en la conciencia. Por ello, cuando aparece, lo hace con debilidad y acompañado por el crítico interior,[5] que no es lo mismo que estupidizado por el tabaco.

---

4. En otro capítulo explico por qué cosas como éstas carecen de la menor importancia. Aunque llenara todo el Museo Británico con material de este tipo, no sólo nadie intentaría leerlo, sino que tampoco me haría ningún bien escribirlo. Pero si hubiera escrito algo verdadero y bueno, aunque no le interesara a nadie, a mí me causaría un gran bienestar.

5. Por «crítico» Tolstoi entiende lo que yo llamo el verdadero yo, la imaginación, la conciencia o la inspiración divina. Se trata de algo que siempre está buscando en nuestro interior, intentando liberar lo que de verdad pensamos de lo que debemos pensar, lo que se nos impone a través de padres, profesores o críticos literarios. Yo amo a «este crítico» que hay en nosotros. Al que aborrezco es al que siempre está midiendo, comparando, aconsejando y advirtiendo sobre los errores, pues crean ansiedad y dudas a

»Si no fumáis, podréis abandonar lo que habéis comenzado o esperar a que las ideas se aclaren. Entonces podréis asomaros a eso que surge aún con debilidad y trataréis de penetrar en esas ideas —ya sea a través de un paseo tranquilo o de la calma que brinda la soledad—; así los objetos serán considerados en detalle. Pero muy diferente es el resultado cuando se fuma y el crítico interior también está fumando. En este caso, la verdad que busca el crítico interior se halla atontada, los obstáculos cambian de situación. Lo que para todos —cuando nos hallamos embriagados por el tabaco— parece insignificante, ahora, en la lucidez, resulta ser importante; aquello que parecía oscuro a nuestra comprensión, ya no lo es. Las objeciones que se presentaban, se desvanecen y podemos continuar escribiendo y escribiendo mucho más y mejor.»

Con estos ejemplos no pretendo presionar para que todo el mundo deje de fumar. Cada persona sabrá lo que le conviene. Simplemente deseo aclarar que Tolstoi sabía que las buenas ideas venían con lentitud, y esto no supone un motivo para preocuparse o asustarse. Es lo mismo que cuando se le ofrece a una persona cansada una bebida reconstituyente: antes de beber, probablemente no emita palabra porque, después de realizar un esfuerzo físico, hasta el simple hecho de pensar produce cansancio. Pero después de beber, todos sus pensamientos fluirán de nuevo y serán tantos que sucederá lo mismo que les ocurre a aquellos que comienzan a hablar y no pueden detenerse. Este tipo de conversación no es creación, es sólo evacuación mental.

Fue Tolstoi quien me enseñó cuán importante era estar ocioso, pues es entonces cuando los pensamientos fluyen con más lentitud. Porque lo que hoy escribimos es lo que en otro momento de calma y soledad se deslizó en nuestra alma.

---

todo el mundo al mostrarles cómo deben hacer las cosas. No: cada hombre debe actuar conforme a su conciencia, a través de su verdadero y personal crítico creativo.

Acerca del héroe de *Crimen y castigo* nos explica Dostoievski:

«Raskolnikof vivió su verdadera vida, pero no cuando asesinó a la anciana o a la joven, pues en estos casos actuó como una simple máquina, descargando el arma que había guardado cargada durante algún tiempo. Raskolnikof vivió su verdadera vida en aquellos momentos en que se encontraba reposando en el sofá. Entonces decidió si iba a matar o no a la anciana o a la joven. La cuestión fue determinada cuando su estado de conciencia era mínimo y en ese marco se fueron realizando pequeñas alteraciones. Éstos son los momentos en los que se necesita tener una gran claridad para poder decidir la solución más adecuada a los problemas que se presentan, y es justo en esos instantes en los que un vaso de cerveza o un cigarrillo pueden sugerir la solución menos acertada a estas preguntas, inclinándose en la balanza de las decisiones la parte más animal del individuo, como en el caso de Raskolnikof.»

No pretendo con este relato que dejéis de beber o fumar (aunque lograrlo no estaría del todo mal). Sólo deseo mostraros que el proceso de escribir no se limita al momento en que se está realizando, sino que siempre es el resultado de cierta conciencia forjada en el pasado durante un período de calma, de relajación y silencio.

Fue Raskolnikof, sentado en su sofá, enfermo, miserable y desesperado por su hermana y su madre, quien al imaginar qué hacer, consideró el asesinato como una posible solución y lo ejecutó días más tarde.

De este mismo modo, todo aquello que hoy se puede escribir tiene su origen en algún momento anterior de relajación mental. Fue justamente en ese otro día cuando las imágenes y visiones se construyeron con lentitud. Al coger el lápiz aparecieron pensamientos y sentimientos que contar,[6] y

---

6. Aunque recordad esto: al sentaros quizá no seáis conscientes de haber

no surgió la escritura de un modo superficial y automático, como cuando los niños estallan a gritos en una fiesta de cumpleaños. Esto es verdad, puesto que muchas personas lo han experimentado así.

El porqué es verdad será explicado en los capítulos siguientes. No quiero decir que este argumento tenga la misma categoría que una afirmación del tipo «Cristóbal Colón descubrió América en 1492», pues debe proceder del interior de cada uno y no de una teoría sobre el yo. En definitiva, su origen se sitúa en la verdad de lo que realmente piensan, aman y creen las personas, y no del deseo de querer impresionar a los demás.

Por esta razón espero que tengáis la fuerza de voluntad de sentaros frente a la máquina de escribir durante un rato cada día (aunque sólo sea media hora; dos horas estaría mejor, cinco ya sería un hecho destacable y con ocho se llegaría incluso a la transfiguración). No importa si en lugar de escribir pasáis el rato jugando con vuestro cabello. Si interrumpís el proceso creativo durante más de dos días, os será doblemente difícil empezar de nuevo. Y no dejéis que este comportamiento cause en vosotros cierto temor.[7] A veces permanecemos una o dos horas inactivos y no surge nada. Esto es duro de aceptar, en especial para la mentalidad de un anglosajón, que siempre pretende ser eficiente y vive obsesionado con el rendimiento, de lo contrario se siente inútil y culpable.

No quiero que penséis que sois estúpidos o que no poseéis talento. Tampoco quiero que pospongáis vuestro trabajo, como hacen tantas mujeres dotadas para la escritura, que esperan que el marido se jubile y los hijos hayan acabado los estudios.

---

pensado en algo importante que decir. Así, os sentaréis con la mente en blanco, de buen humor y sonriendo como de costumbre, y no frunciendo el ceño, solemnemente, por el peso de vuestro mensaje. Entonces, cuando empecéis a escribir, surgirá alguna idea, algo verdadero o interesante.

7. Espero poderos explicar el porqué de vuestros miedos antes de haber acabado este libro, y mostrar que los podéis superar.

Capítulo V

Es más fácil ahogar a un bebé en su cuna
que atender los deseos insatisfechos
William BLAKE

No tengo nada en absoluto en contra de la acción. La acción puede ser gloriosa y cada uno tiene que actuar cuando lo requiera el momento. «Los deseos no realizados alimentan la podredumbre en el alma», afirmaba Blake.[1]

Ésta es una buena razón para evitar estar siempre de mal humor. Hay quien actúa (por ejemplo, expresando lo que ha pensado en su tiempo de ocio) para ser una persona mejor, para sacar el mayor partido a las potencialidades que posee en su profesión, ya sea médico, hombre de negocios o madre.

En este libro trataré de mostrar el camino para que cada uno pueda expresarse a través de la escritura; ello se logrará plasmando vuestras vivencias o aquello que pensáis en un papel. Cuando cada uno de vosotros vea lo que ha creado, continuará escribiendo, en lugar de dudar acerca de la calidad de su obra, y rogará a Dios que se mantenga la luz que le permite hacerlo. Siempre, pensad en silencio por unos instantes. Expresad luego vuestro pensamiento, pero no tanto por quererlo, sino por la fe que habéis puesto en ello.

Ésta es una de las razones por la cual no he afirmado en ningún párrafo de este libro que «todos deben expresarse,

---

1. Es decir, si no actuamos (expresamos lo que imaginamos a través del trabajo o de nuestras relaciones para aprender y pensar mejor), acabaremos pudriéndonos.

todos tienen la obligación de escribir». Ya existen muchas presiones en relación a la idea de lo que es el deber, idea que, por supuesto, suscita no pocos temores en cada uno de nosotros. El resultado, en definitiva, es la existencia de demasiados «debes» como para que el talento pueda comenzar a irradiar de un modo libre y gozoso.

No pretendo predisponer a nadie contra la acción. Sólo deseo animaros a que evitéis un modo de hacer las cosas nervioso y vacío. Una acción condicionada por la obligación siempre dará un resultado estéril.[2] Cuanto más rápido se trate de dar cumplimiento a un montón de cosas inútiles, más rápido se perderá el sentido de la vida.

Entonces, si tratáis de escribir, intentad al menos lo siguiente: permaneced solos en la habitación; resignaos a la idea de que únicamente en la calma puede conseguirse un resultado con algo de valor. Coged un lápiz, sentaos frente a la máquina de escribir y mirad por la ventana. Comenzad anotando los diferentes colores que aparecen en el cielo, y *absorbedlos* con una actitud tranquila y ensoñadora: «Estrella... cuatro puntos... amarillo». No intentaremos escribir oraciones (a menos que realmente surjan) sino que saldrá de nuestro lápiz una escritura imbuida de ensueño y sin prestar demasiada atención. Conviene escribir sólo lo que aparezca a primera vista; así tal vez podáis, sin intentarlo demasiado, pensar: «No me siento en absoluto como si estuviera trabajando. ¿A qué se debe este estado de ánimo?» Hay que saber encontrarse a uno mismo dando una descripción luminosa de lo que fue hasta ayer apatía y aburrimiento. O garabatear durante unos momentos de ocio algo como esto:

---

2. Lo que la gente llama «voluntad» significa hacer algo con obstinación y con actitud desafiante, mientras os permitís imaginar que todo el mundo está pensando que no sois buenos haciendo esto. Sin embargo, eso es una tontería. La gente hace cosas importantes por «voluntad» que no son necesariamente buenas. Por ejemplo, un soldado o un recaudador de impuestos pueden verse obligados a cometer acciones crueles y sin sentido si se evalúan según la imaginación y el amor.

«Parece que tengo deseos de escribir una historia que pueda venderse bien. Debe tratar sobre una duquesa, pero como nunca conocí a nadie con ese título me resulta difícil imaginármela. ¿Cómo podría llamarse?» Llegados a este punto se producirán una serie de asociaciones. Algo surgirá, aunque sea una pequeña idea, y esta información irá aumentando cada día.

Antes de encontraros hilvanando escritos acerca de vosotros mismos y de las personas que conocéis, quiero agregar algunos conceptos sobre lo que hasta ahora he denominado imaginación o poder creativo que habita en cada uno de nosotros, cuál es el modo de detectarlo y cómo funciona.

Lo que contaré, en principio, tiene que ver con mi propia experiencia: una caminata de varios kilómetros ayuda a nuestros propósitos. Caminad solos cada día. Lo he hecho durante años y me ha dado buenos resultados. Al volver de mis paseos solía sentirme recargada y si por alguna razón un día no podía caminar, al siguiente me sentía inmersa en un estado de «pobreza», como lo denominaba Van Gogh: «La pobreza o lo que algunos llaman depresión».

Si dejaba de caminar durante un día o dos, luego, cuando trataba de escribir, sólo lograba sentirme aburrida y sin voluntad. Durante mucho tiempo atribuí esta sensación al hecho de hallarme durante horas sentada en una habitación, llevando una vida demasiado sedentaria (esto mismo le sucede a mucha gente que no se mueve al aire libre, sin que lleguen a conocer el motivo de este malestar).

Pero no sólo he aprendido que es bueno pasear. Cada vez que he intentado realizar una serie de caminatas,[3] por el solo hecho de hacer ejercicio, he descubierto que no se había enriquecido mi capacidad imaginativa. Al día siguiente, cuando

3. Toda mi vida he sido una autodidacta bastante insegura, pero he aprendido mucho mejor de este modo, y no os diría nada que yo misma no hubiera experimentado. Pero si pensáis que el autocontrol y la autodisciplina son un método mejor para vosotros que la imaginación, no lo dudéis y

intentaba escribir, la experiencia era de tal escasez que hubiera sido mejor no salir a caminar de ese modo.

Sin embargo, cuando daba mi paseo y al mismo tiempo iba contemplando el lago, el cielo o las diminutas, desnudas y delicadas ramas de los árboles, o me detenía en todo aquello que miraba, y perdía la rigidez y la tensión de mi cuello y de mis hombros, entonces lograba alcanzar un sentimiento de felicidad y me decía: «Me siento libre» o «No debo preocuparme por nada». Y me di cuenta de que entonces los pensamientos comenzaban a fluir de un modo tranquilo y silencioso.

Mi explicación acerca de este tipo de experiencia es que en los momentos en que camino[4] de un modo libre y sin tensiones ni preocupación por llegar a la «meta», estoy viviendo *en el presente*. Y eso es lo que nutre mi energía creativa.

También es necesario saber que, a lo largo del día, por más ocupada que una persona se encuentre, pueden ocurrirle este tipo de experiencias, aunque en menor escala. Siempre estamos haciendo algo: conversando, leyendo, escuchando la radio, programando lo que realizaremos al día siguiente. La mente se mantiene continuamente ocupada durante todo el día en cientos de cosas poco importantes y externas a uno mismo.

Ésta es una de las razones más poderosas por las que las personas sienten temor a encontrarse solas. Durante esos minutos de vacío mental desagradable comienzan a surgir los

---

ponedlo en práctica. Y si alguna vez digo «debéis» o «tenéis que» en este libro, es porque todavía sobrevive en mi interior el viejo impulso autodidacta. La gente que siempre trata de arreglárselas por sí misma también quiere dirigir a los demás. Suelen pensar que saben más y se sienten seguros, por lo que no se muestran abiertos a nuevas y mejores ideas.

4. Resulta muy difícil ser despreocupados cuando se tienen muchas ansiedades. Sin embargo, cuanto más se experimentan, más necesario es sentirse libre durante un tiempo para que surjan nuevas ideas sobre cómo superar esos miedos.

pensamientos. Y estos pensamientos, al principio, no parece que tengan ningún sentido, porque lo primero que expresan es lo inútil y vacía que resulta la vida cuando no hay nada que decir, leer o escuchar.[5] Esto sólo ocurre al principio de este proceso. Es el momento en que la imaginación nos conduce a ver de qué forma puede mejorar nuestra vida.

Si se persiste en el intento, si se soporta seguir en soledad cada vez durante más tiempo, deambulando sin prisa varios kilómetros y viviendo en el presente, entonces todos recibirán su recompensa en forma de buenas ideas, argumentos para novelas, decisiones, revelaciones, anhelos que aparecerán en cada uno. Puedo demostrarlo con absoluta seguridad.

En aquellos días en que salir a caminar era un mero ejercicio, las ideas no surgían sino al final. «Es sólo durante las caminatas largas cuando aparecen en algún momento ideas nuevas»; esto lo hallé escrito en mi diario. Ahora entiendo el porqué. Me encontraba cerca de casa y ya no caminaba de una forma tan mecánica como al inicio del paseo.

En una ocasión sentí que me abandonaba, me sentía libre y despreocupada. De golpe, estaba en el presente y no en mi ruta habitual.[6] Descubrí de este modo lo hermoso que

---

5. Tal como Blake me enseñó, la mayor parte de lo que narramos es pura memoria, no imaginación creativa. En una conversación se dice algo hecho, pensado o dicho ayer. Se trata de cosas vividas en el pasado, no en el presente. Pero cuando hablar resulta realmente interesante es cuando vivimos en el presente. Entonces se acusan cambios en los interlocutores; uno dice al otro algo que necesita o espera escuchar, o que quizá le asuste. Es decir, causa un efecto en él. Ésta es una de las razones por las que pienso que dos personas casadas que se aburren cuando conversan se acaban peleando. Cuando hieren sus sentimientos o existe el temor de la separación, etc., entonces se sienten realmente conmovidos, cambiados. Viven creativamente *en el presente*. Por fin, su conversación les resulta interesante. Experimentan la agradable sensación de sentirse escuchados no por educación, sino sintiendo en sus almas corrientes eléctricas y cambios químicos. Por eso, leer algo en lo que sólo se ha involucrado la memoria —para pasar el tiempo o acumular hechos— no es bueno.

6. ¡La locura de todo este vivir de cara al futuro!, como trabajar en algo aburrido durante toda vuestra vida con el objetivo de jubilarnos cargados de dinero a los ochenta años.

puede llegar a ser un atardecer de invierno, la oscuridad de los árboles bajo la fosforescente luz de la luna, cómo las estrellas poseen diferentes colores y cómo el egocentrismo nos llena de temor y de un falso sentimiento de autoconservación. También comprendí que en esta forma de vivir se escondía una suerte de inspiración divina. Dicho de otro modo, las ideas comenzaron a fluir y, con ellas, los sentimientos poéticos.

¿Cómo se hicieron presentes estos pensamientos creativos? De un modo lento, como una pequeña bomba de revelaciones que estalla en el interior. Descubrí que hasta ese momento había paseado sin sentir esta serie de estallidos internos en medio de mi silencio. Cuando fui consciente de todo esto, sentí algo parecido a la felicidad.

Puede que alguien haya experimentado estas sensacioness mientras se encontraba haciendo cualquier otro tipo de actividades, como coser, jugar al golf, fregar platos o pintar una valla.

Tocar el piano puede ser una práctica maravillosa en este sentido, pero al hacerlo no debemos «tocar nanas para nosotros mismos», como dice un pianista ruso que conozco, sino interpretar las piezas de siempre del modo acostumbrado, para que el tiempo transcurra de manera agradable, como si nos comiésemos un dulce. No aconsejo tocar el piano a aquellos que consideran que es una tarea aburrida y pesada (la gente suele relacionar «el trabajo» con «lo pesado y aburrido», y espero poder mostrar la diferencia). Se trata de que, gracias a esta actividad, se llegue a pensar, sentir, escuchar y comprender más y mejor.

Sugiero que trabajéis sobre una sonata de Mozart. Sólo los sonidos hermosos consiguen, de golpe, transformar los objetos más ordinarios de nuestra vida cotidiana, como los muebles o la lluvia, y lo cubren todo de una tenue luz que parece acariciarlos. Se siente un placer maravilloso con el movimiento armónico de las manos y los hombros: es el ritmo, que estimula una danza interior. Debe permanecerse en la más absoluta soledad, pues son éstas nuestras horas de aislamiento de la vida diaria, tan plagada de ruidos y nervios que impiden a la imaginación que habita en el interior de todos los seres humanos la posibilidad de acumular la suficiente fuerza o luz.

A continuación, deseo analizar la diferencia entre trabajar y aburrirse trabajando.[7]

Algunas veces, cuando salgo a caminar, aprendo un soneto de Shakespeare mientras paseo. He descubierto que si uno repite una y otra vez la misma frase, como hacen los niños, memorizando casi de modo mecánico, después de un tiempo el cerebro sabrá cómo hacerlo automáticamente.

Todos los trabajos automáticos requieren un largo tiempo de aprendizaje. Para que el proceso sea más fácil,[8] suelo hacer lo siguiente: pronuncio una línea lenta, muy lentamente, y visualizo cada palabra, tanto su significante, la forma impresa, como su significado, el objeto que designa. Si la palabra es «viento», llego a notar el viento. Y, siempre en mi imaginación, me maravillo por la asombrosa economía de la gramática utilizada por Shakespeare.

Durante estos momentos de contemplación, de imaginación, que duran la fracción de un segundo, cuando mi mente parece abrirse, es cuando camino menos, y a menor velocidad. Cuanto más contemplo todo lo que me rodea (pensando de modo creativo para que la comprensión de la realidad se expanda), más lentamente camino y, a menudo, me detengo por un momento; ese instante creativo permanecerá en mí para siempre.

---

7. Estas dos palabras suelen interpretarse mal. Por ello, desafortunadamente, el vocablo «trabajo» es un depresor para la gente que desborda vitalidad y que normalmente posee diez veces la energía necesaria para realizar una tarea rutinaria. Estas personas seguro que querrían trabajar si entendiesen el sentido del término correctamente.

8. Y creativo, es decir, que comprendo y siento la poesía y lo que el poeta intenta transmitir, de modo que lo hago mío y afecta a mi vida a partir de entonces.

Intento, a través de esta experiencia, transmitiros que el poder creativo no requiere tensión ni esfuerzo, sino todo lo contrario. Aquello que atemoriza es precisamente lo que causa alteraciones nerviosas.

No hay que preocuparse por el trabajo que nos resulta pesado; por ahora, basta con empezar a entender algunas ideas básicas explicadas en este capítulo. Puede suceder que esta comprensión se haga difícil. A veces, la primera idea no se comprende fácilmente, pero cuando llegan las ideas siguientes, entonces se puede entender ese primer concepto que hasta aquel momento era casi inaccesible.

Hay gente dotada para la escritura que redacta un texto breve. Vuelve sobre él una y otra vez con el objetivo de conseguir el resultado más cercano a la perfección; pulen su trabajo como si de una joya se tratara. A pesar de su esfuerzo, estas personas serán capaces de producir una perla sólo una vez al año, o quizá cada cinco años. Y esto se debe a la obsesión por la perfección, al tremendo esfuerzo realizado y al temor intrínseco a este proceso de obtener una perla con algún defecto.[9] Pues bien: considero que esto es una pérdida de tiempo. En el interior de todos los seres humanos existe una fuente de vida inagotable capaz de generar poesía, literatura e imaginación. Pero algunos no dejan que éstas surjan porque están demasiado preocupados por pulir la joya.

Aquí reside la clave: si cada uno se permitiera dejar fluir nuevos textos libremente y con generosidad, sin prestar demasiada atención a la perfección, entonces sabría sin duda alguna cómo unir las perlas para obtener buenos resultados en dos segundos, sin tanto derroche de energía.

He intentado demostrar que el trabajo creativo no requiere demasiado esfuerzo, sino que es una hermosa expe-

---

9. Se trata de una revisión no justificable como la que realizamos cuando perfeccionamos el relato una y otra vez para acercarnos más a la verdad *de una forma no espontánea*.

riencia; que el poder creativo se halla en todos si se le dedica un poquito de nuestro tiempo cada día; y que si realmente creemos en él, podremos observar cómo cobra vida en nuestro interior, siempre que no lo acallemos con nuestras prisas y con nuestras culpas (precisamente en los momentos en que quizá deberíamos sentirnos felices y despreocupados). O puede suceder también que no logremos mantener vivo este poder creador, a fuerza de estar negándolo todo el tiempo, lo que sería el peor de los engaños.

Capítulo VI

*Es bueno saber que en el interior
de cada uno existe oculto
un poeta dormido, siempre
joven y lleno de vida*
Alfred de MUSSET

He tenido que ser mi propia guía a la hora de desarrollar mi trabajo.

Tal vez nadie llegue a hacerse una idea de lo poco agradable y de lo costoso que es llegar a ser escritora. Para poder dedicarme a ello he tenido que tirar adelante de cualquier manera y vivir con poco dinero. Después de tres horas de trabajo he llegado a sentirme exhausta hasta la médula.[1] No podía trabajar durante las tardes o hasta el anochecer porque era consciente de que no lograba unos resultados tan buenos como los esperados. Me invadían el temor y el orgullo a la misma vez. Fueron mis alumnos, durante mis clases, quienes me demostraron que estaba trabajando de un modo equivocado. Gracias a estos inexpertos principiantes, de golpe tuve el maravilloso regalo de una revelación.

Pude aprender de ellos que la inspiración no llega como un arrebato, no es una explosión de ideas y sentimientos, sino que aparece de un modo lento y silencioso y siempre que dispongamos de tiempo para que pueda fluir de un modo

---

1. Excepto cuando se trata de acabar un relato o artículo, en los que podría trabajar durante todo el día porque la mayor parte del trabajo se basaba en copiar. Pero trabajar una hora o dos en el primer borrador o la primera idea, es un proceso que me deja agotada. ¡Cuántos vacíos mentales! ¡Qué aburrimiento! Entonces llamo por teléfono o intento buscar otra evasión.

tranquilo y sin presiones. Aprendí, también, que para escribir no hay que sentirse como Lord Byron, en la cima de una montaña, sino como un niño que juega a hacer una fila de canicas en el parvulario, feliz y absorto, colocando una bola delante de la otra, en silencio.

En una ocasión posé para un grupo de niñas de doce años que estaban aprendiendo a pintar al óleo. Les dije que me sentaría ante ellas durante tres días completos, hasta que los retratos estuvieran listos.

Ninguna de estas niñas había pintado antes al óleo. Me senté en una silla, con la espalda pegada a la pared de la sala. La luz se colaba a través de varias ventanas y caía sobre mí. El grupo de estas cuatro niñas y de tres adultos se pusieron delante de mí y miraban con gran atención tanto a mi persona como a sus telas. Yo no tenía otra cosa que hacer, durante esas largas horas, más que observar su trabajo.

Una habitación con siete personas siempre conlleva algo de ruido y conversación en voz alta. Si entre esas siete personas se hallan cuatro niñas, el ruido puede convertirse en caos. Y las niñas, como todos sabemos, no tienen la capacidad de mantener la atención en el mismo objeto durante demasiado tiempo, sobre todo cuando la tarea que realizan requiere mucha concentración y un intenso esfuerzo mental. Y cada uno sabe muy bien lo difícil que resulta ponerse a dibujar algo si no se está habituado a hacerlo. Pensemos, por ejemplo, en la dificultad de expresar la tercera dimensión sobre papel o de dibujar una nariz vista de frente. Ambos casos pueden convertirse en un auténtico problema. Si además hay que pintar sobre tela al óleo por primera vez, puedo afirmar que entonces la tarea resulta tan compleja como despejar montones de nieve con guantes de boxeo.

Pues bien: eso es lo que las niñas estaban tratando de hacer. Mientras pintaban, reinaba un profundo silencio en la estancia. Podía escucharse, incluso, la respiración de las pequeñas artistas. Aquellos ojos encendidos me miraban una y otra vez. Quizá después de veinte minutos aproximadamente escuché alguna queja o exclamación de desespero: «¡Oh, Brenda, te estoy dibujando horrible!»

Después de largas horas de inmovilidad para mí y de concentración para ellas, recordaban que yo era una persona y me dejaban descansar unos minutos, pero sólo con protestas porque luego se les hacía difícil volver a su tarea. Era digno de ver, cuando llegaba el momento del descanso, el espíritu de profunda religiosidad, el bendito silencio y la contemplación se reemplazaban por gritos, interrupciones, saltos y la algarabía propia de una habitación con niñas. Hasta los perros que habían estado durmiendo pacíficamente comenzaron a mover el rabo, ladrando y jugando unos con otros.

Ahora bien, estas niñas trabajaron durante cinco o seis horas de una vez (así es como uno debe trabajar en su escritura) durante dos días y medio, dominadas por el radiante poder que en su momento había invadido a Miguel Ángel o a Blake. Sus pinturas fueron muy originales.[2] Ninguna se parecía a la otra, porque el impulso creativo trabajaba inocentemente, sin egoísmo, ni para agradar a nadie; exactamente al revés de lo que hace un instructor que se dedica a lanzar preguntas del tipo: ¿se trata de arte?, ¿tiene equilibrio?, ¿está bien diseñado?, etcétera. El poder creativo trabaja con inocencia; así cada niña, simplemente, trataba de mostrar en su pintura lo que veía y lo que sentía.

Os he explicado esta anécdota porque creo que éste es el modo en que os deberíais sentir cuando escribáis —felices y

---

2. Los colores eran muy bonitos. Un pintor de retratos tendría que sentir envidia del genio que induce a un niño a pintar el suelo de azul turquesa en vez de en los tonos grises o marrones que le son propios. Cada retrato era completamente diferente. Pero todos eran retratos míos, que reflejaban mi personalidad (infinitamente más que una fotografía) y al mismo tiempo cada uno era un retrato de la niña que lo pintó y de «su» personalidad. Así sucede siempre en la escritura y la pintura: se plasma lo que eres.

libres—, con la maravillosa absorción que experimenta el niño cuando juega con sus amigos, seguro y confiado. Ya que sois seres humanos, todo lo que tenéis que hacer es sacar de verdad cuanto hay en vuestro interior que os interese. ¿Será vendible? No lo sé. Pero no penséis en esto, por el momento. Vuelvo a insistir sobre ello porque quiero enseñaros que el impulso creativo es un acto tranquilo. Lo veis, lo sentís, casi lo podéis oír y todo ocurre «ahora», *en el presente*. ¿Veis cómo esas niñas que pintaban mi retrato estaban viviendo en el presente? Es cuando vives realmente en el presente cuando sientes con el espíritu y con la imaginación.

Ya he dicho antes que conozco a tres personas extraordinariamente creativas, que parecen vivir en el presente cuando *crean*. En esos momentos, resultan verdaderamente magnéticas, fascinantes e incluso proféticas. Francesca es una de ellas; una pequeña sueca mística que tenía visiones, como Blake es otra, y Carl Sandburg es la tercera.

Francesca, por ejemplo, siempre parece estar viviendo en el «presente»: ¡Ahora!, ¡ahora![3] Nunca la verás cotillear, explicar larguísimas anécdotas o narrar historias interminables, pero no porque desapruebe todo esto, sino porque, para ella, la narrativa es sólo memoria,[4] un recuerdo del pasado en el que nada nuevo puede ocurrir.

Nunca habla mucho, sino que se sienta mirándote con amor, con los ojos brillantes, como si estuviera influida por una música que sólo ella alcanzara a oír, y te escucha y comprende perfectamente; la sabiduría parece descender en ella

---

3. Decíos a menudo a vosotros mismos: «¡Ahora! ¿Qué me está pasando ahora? Esto es "ahora". ¿Qué estoy pensando en este preciso momento?» Entonces, de repente, empezaréis a ver el mundo como nunca lo habíais visto antes, a oír la voz de la gente y no sólo lo que dicen, y experimentaréis la absoluta realidad de todas las cosas. Veréis la existencia como un todo coherente y no como algo construido con piezas que a veces no acaban de encajar bien.

4. Desde luego, cuenta cosas que recuerda, pero estos recuerdos siempre logran arrojar algo más de luz en su presente momento creativo.

desde algún sitio, con dulzura. Entonces dice algo (sin avisar, de repente),[5] que al instante me parece extraordinario, verdadero e importante y que me llena con un sentimiento poderosamente consolador y luminoso.

Nunca le he oído hablar de memoria (es decir, repitiendo simplemente algo oído o pensado ayer),[6] sino siempre de forma creativa; jamás ha pronunciado una palabra superficial ni nada que no hubiera sentido en ese instante.

He visto a Carl Sandburg, el poeta, hacer esto. Habla con una hermosa y ensoñadora voz y la inspiración parece iluminar todos sus gestos y sus movimientos, como si la imaginación entrara en él y saliera libremente en forma de música.

Una vez, mientras conducía por la carretera que rodea el lago cercano a casa, nos paramos a mirar la puesta de sol, en el cielo de diciembre. Él habló de «cielo metálico» y permaneció mirándolo un buen rato. Sentí cierto respeto: «Éste es realmente el modo de sentir de los poetas cuando están conmovidos». Pude percibir lo que le sucedía mientras miraba el cielo —una experiencia especial, incandescente—. Yo, en cambio, lo estaba viviendo con total conciencia de mí misma, ansiosa por agradar y llena de pequeños remordimientos, aunque exclamé: «¿No es maravilloso?» Carl Sandburg estaba viviendo en el presente una experiencia poética. Pero yo estaba pendiente de otros asuntos, preocupada por actuar con educación y llegar a casa a la hora de la cena.

---

5. Ella siempre intenta llegar a la verdad aunque no a través de explicaciones apologéticas, pruebas y frases exactas: esto es precisamente lo que quiero que hagáis al escribir. Y, como a Francesca, no debe importaros si os van a creer o no, puesto que estáis explicando la verdad.

6. Ella no actúa así conscientemente. No planifica el hecho de no repetir nunca las cosas (y Dios os perdone si lo hacéis). Es, sencillamente, uno de esas felices personas creativas que no pierden el tiempo acumulando datos y pruebas en su memoria. Se limita a aceptar lo que le brinda la imaginación y la deja actuar sin temor a que alguien haga comparaciones que sólo causan ansiedad en vez de liberación. No dudo del hecho de que ella se cuestione la verdad en su interior; es que no se siente obligada a demostrarlo ante la gente.

Seguro que vosotros, y yo, y todo el mundo, ha vivido alguna experiencia como la que acabo de explicar, dicho de otro modo, ha vivido en el presente ante una puesta de sol. Hemos experimentado cosas similares a las de Carl Sandburg, Shakespeare o Dante. Saint-Beuve dijo: «En la mayoría de los hombres existe un poeta que murió joven y un hombre que sobrevivió». Y De Musset dijo: «Sabed que a menudo en nosotros se esconde un poeta dormido, siempre joven y lleno de vida».

Todos sabéis que esto es así y, ya que todos sois poetas (en el peor de los casos, lleváis dentro un poeta profundamente dormido), sugiero vivir parte del tiempo en el presente, como lo hicieron los grandes artistas. Una expresión como «¡Qué tarde más bonita!» puede ser poesía pura; todo depende de si la sentimos realmente y la decimos de veras.

En estos momentos en que escribo, dudo acerca de si mantener estos pasajes que se adelantan al propósito del libro o no. Tal vez, tras leer las líneas precedentes, os pongáis serios e intelectuales y trataréis de establecer normas (cosa que nunca, nunca debéis hacer) diciéndoos: «Ten cuidado. ¿Lo estoy haciendo bien? ¿Lo que utilizo ahora es memoria o imaginación?»

El Cielo prohíbe que esto suceda. Por supuesto que utilizamos la memoria siempre, y cuanto más clara y abundante sea, mejor. Si escribís historias, está claro que usaréis vuestra memoria y pondréis todos los detalles concernientes. Pero no olvidéis manteneros *recargados,* como los niños que siempre están pensando algo nuevo: eso es inspiración. Describo este mantenerse *recargado* como un «vivir en el presente» porque quizás os guste intentarlo: es decir, ser libres y estar abiertos a todas las cosas sin pretender nada ni irritarse.[7]

7. Estoy completamente en contra de la ansiedad y la preocupación. Hay mucha gente que considera la preocupación como una especie de deber. Detrás de ello creo que se esconde un sentimiento subconsciente de que el destino o Dios son mezquinos y de que no les tememos lo suficiente. Su

Como ejemplo, sirva el modo de vida de los mexicanos y de los indios del sudoeste americano. Ellos viven en el presente, haciendo lo que deben hacer con felicidad y con calma, sin ansiedad por el mañana. Se dice que un mexicano puede sentarse de cuclillas a fumar un cigarrillo y pasarse horas y horas en esta posición, sin esperar nada.

El hecho de la gran cantidad de artistas que hay en México puede hacernos reflexionar sobre este pequeño detalle. El mexicano menos dotado no puede tocar ningún objeto sin transformarlo en algo encantador. Una vez leí en un artículo que algunos mexicanos habían construido más de doscientos baldes de latón a partir de restos de automóviles, de chatarra. Estas transformaciones se llevan a cabo cuando las personas viven en el presente, porque entonces se da un estado de contemplación y toman su tiempo para acercarse a la belleza sin prisas.

Pero los habitantes de los países del norte nos movemos con la idea de que dentro de veinte años comenzaremos a vivir, cuando los ahorros e intereses acumulados lo hagan posible. Vivir en el *ahora*, en el presente, sería ocioso. Siempre hemos considerado el ocio como algo egoísta e improductivo, en lugar de verlo como un tiempo creativo y enriquecedor.

Tal vez sería acertado describir este estado que denominamos «vivir en el presente» de la siguiente manera: en el terreno musical, cuando en ocasiones tocamos el piano, existe una diferencia entre estar tocando una pieza (estar interpretándola) y estar «en» esa acción de tocar el piano.[8] Cuando

---

enojo nos condenará. Sin embargo, todos deberíamos recordar que Cristo aconsejó soltar las amarras de la ansiedad para poder alcanzar el Reino de los Cielos. Según Él, si vivimos creativamente y con tranquilidad en el presente, la belleza, la felicidad, la bondad, el talento, el vestido, el alimento se nos darán por añadidura. Desde luego, Él tiene razón.

8. Conozco a una gran pianista que habla con tristeza del terrible esfuerzo sin resultados de una alumna suya: «Siempre practica, pero nunca toca».

alguien se encuentra en la primera situación descrita, prestará atención a los crescendos y a los cambios de signos. «Ahora hay que tocar más alto», puede leerse en la partitura, y entonces quien toca lo hará más alto. «Atención, aquí es *pianíssimo*.» Entonces, muy obedientes, tocarán *pianíssimo*. Pero este ejercicio se realizará sólo con el intelecto.

Únicamente cuando quien toca se halla «en situación», la gente que lo escuche percibirá la diferencia y se sentirá conmovida. Esto es así porque quien ejecuta la pieza está emocionado, de modo que se ha producido un cambio maravilloso y la música —Mozart, Bach o cualquier otro compositor— de repente se transforma en algo propio de la persona que toca, hasta tal punto que se siente su propio estilo, su voz y su elocuencia. Y cuando toque se podrá percibir toda la nobleza, la violencia o la maravillosa dulzura de Beethoven, pues ha sabido hacerlo suyo.

Me gustaría exponer otro ejemplo: hay gente que es graciosa por naturaleza. Cuando imitan a otra persona, ellos realmente caen en una especie de trance, de tal manera que *son* la persona que imitan. Si, por el contrario, estuvieran controlándose todo el tiempo (como a veces me sucedía a mí con la escritura), no podrían lograr esa transformación y parecería que cada gesto que fuesen a realizar estuviera previamente pensado: «Ahora voy a imitar a P. para que todo el mundo ría». Cuando la imitación no sale de dentro, resulta forzada y no le hace gracia a nadie.[9]

Esta misma clase de identificación, de libertad, esta sensación de falta de control debería aparecer cuando se está escribiendo, porque ello haría que nos sintiéramos bien.

---

9. La autoconciencia escrupulosa procede de una ansiedad que convencerá a la gente. El payaso que no posea confianza en sí mismo no logrará ser divertido porque temerá que su audiencia se aburra. El hombre verdaderamente divertido no se preocupa por su audiencia. Si no se ríen, por lo menos él se lo ha pasado bien y no le importa; y si la audiencia se ríe, se libera aún más (Inspiración) contando chistes absurdos y no premeditados.

Puede ser que alguien interprete con mis palabras que debe dejar de escribir. Nada más lejos de ser verdad. Cuando se está escribiendo tal vez se alcance un grado de pensamiento más complejo que cuando uno se halla inmerso en la vida cotidiana, y este modo de abordar la realidad exige también mayor claridad. Se trata, simplemente, de desterrar la autoconciencia, la ansiedad, el proceso de «intelectualización» (es decir: de fruncir el ceño tratando de adaptarnos a reglas prescritas por los demás)[10] para provocar una suerte de liberación personal.

Dean Inge afirma que el gran filósofo místico Plotino describió este «vivir en el presente» del siguiente modo:

«En nuestros mejores momentos, cuando realmente "nos implicamos" en nuestra tarea, dejamos de lado el pasado... Ésta es la experiencia del Espíritu Santo que vuelve hacia la unidad. En el momento en que alcanzamos este nivel, dudamos a menudo de que la experiencia sea real porque "los sentidos proclaman que no han visto nada". He aquí que se presenta una clase de inconsciencia en los niveles más elevados del Alma, y sin embargo, no podemos dudar de ello, no cuando se alcanza este punto.»

En otras palabras, es realmente cuando nos hallamos en el presente —desarrollando una tarea, perdidos, absortos en algo que nos interesa mucho— cuando estamos viviendo espiritualmente.

Una vez más he llegado a esta afirmación: será bueno intentar esta experiencia a través de la escritura.

Una última observación sobre este sentimiento que a veces nos domina (sentirnos estúpidos o insignificantes cuando no estamos haciendo algo). Cuando os sentéis a escribir, conviene dedicar un rato a pensar de forma vaga. Al comienzo, en los primeros minutos, no se producirá ningún pensa-

___

10. Teniendo en cuenta miles de cosas que «no» se deben hacer.

miento lógico, aunque lo intentéis. Sigue una suerte de parálisis, una convicción de nuestras limitaciones mentales, de inmediato, y es hasta probable que frente a esta realidad se opte por abandonar y dedicarse a alguna tarea doméstica, como lavar los platos. En este caso puede ocurrir (y esto no lo sabremos aún) que mientras realizamos este trabajo aparezcan una serie de maravillosas, originales y fascinantes ideas. Como no somos conscientes de la importancia de este hecho, porque estamos simplemente «pensando», no le damos excesiva importancia a todo este proceso y, por supuesto, no las volcamos en el papel. Pues bien: precisamente eso, volcar las ideas en un papel, es lo que espero que hagáis cada uno de vosotros de ahora en adelante. Es decir: siempre tenemos que estar dispuestos a expresar lo que deseamos.

En esto consiste, en parte, la tragedia de la gente que consideramos de poco valor. Quizá sean personas con una gran riqueza de pensamientos, pero nunca llegan a volcarlos en el papel, en la tela o en un trabajo musical porque les falta confianza en sí mismos y tienen demasiado miedo al fracaso.

Por el contrario, la tragedia de los atrevidos, de la gente muy productiva, es que actúan permanentemente sin reflexionar apenas, hasta que llega un día en que se sienten vacíos y sin nada que decir.

Tenemos que actuar. El hombre insignificante no lo hace, pero no porque sea perezoso, sino porque de algún modo se siente atemorizado por la idea de la acción.[11] Lo que no sabe este individuo es que la acción sigue al pensamiento y provoca un movimiento que se manifiesta con placer y de un modo sencillo. Aún se piensa que la acción conlleva esfuerzo, dificultad, desesperanza y, muy probablemente, fracaso.[12]

---

11. Con gran vigor, los hombres activos podrían decir que actuar les hace «pensar» mejor. Sin embargo, si se tomaran más tiempo para la ociosidad y el pensamiento, quizá la Imaginación les mostrara que podrían llevar a cabo acciones más importantes que las que realizan.

12. Este pensamiento procede de los estoicos y toda la gente disciplinada

Atendamos una vez más a lo que el gran artista Van Gogh, entre la pasión y la pobreza, alcanzó a decir:

«Hay dos tipos de ociosidad —escribió a su hermano—, entre ellas se produce un enorme contraste. Existe el hombre que es insignificante por su pereza, por su falta de carácter, por lo más profundo de su propia naturaleza. Tú sabrás si debes considerarme como parte de este grupo...

»Entonces, existe también otro tipo de hombre ocioso que se halla en este estado a pesar de sí mismo; interiormente se consume por un gran deseo de actuar, pero no hace nada porque aparenta encontrarse dentro de una jaula, ya que no posee aquello que necesita para hacer algo productivo y la fatalidad de sus propias circunstancias lo conducen siempre a este punto. Este tipo de personas no sabe en algunos momentos lo que debe hacer, pero se da cuenta por instinto: sé que soy bueno para esto, mi vida tiene una razón de ser, después de todo, y sé muy bien que debería ser un hombre diferente. ¿Cómo podría llegar a ser útil?, ¿qué tipo de servicio podría prestar? Sé que hay algo en mi interior, pero no lo alcanzo a reconocer.

»Éste es otro tipo de hombre inactivo, y debe ser considerado como un pájaro enjaulado. En primavera sabe bien que existe un objetivo; siente que hay algo que debe hacer, pero no puede llevarlo a cabo. ¿Qué es? No lo logra recordar. Tiene una serie de ideas acerca de ello y se repite: "Los otros preparan sus nidos, dejan sus huevecillos y esperan a que nazcan los pequeños" y entonces se golpea la cabeza contra los barrotes de la jaula. Pero la jaula permanece cerrada y el pájaro enloquece de impotencia.

---

del mundo. Con ello no quiero decir que no debamos hacer nada que nos desagrade o nos cueste. Cuando Colón descubrió América pasó por experiencias muy duras, pero le conducían el Amor y la Imaginación. Nunca lo hubiera logrado si sólo se hubiese movido por un sentimiento del deber. Éste le habría hecho permanecer en casa ganando dinero y cuidando a sus hijos del modo adecuado.

»"Mira a ese animal desocupado —exclama otro pájaro que pasa por allí—. Parece estar viviendo con toda tranquilidad." Sí, el prisionero vive, su salud es buena, se muestra más o menos alegre cuando el sol brilla. Pero llega el momento de emigrar y sufre ataques de melancolía. "Pero si tiene todo lo que necesita", dice el niño que lo ha colocado en esa jaula. Mira al cielo y repentinamente se rebela contra su destino. "Estoy enjaulado, estoy enjaulado, ¿quién afirma que no deseo nada? Tontos los que piensan que tengo todo aquello que necesito. Me falta lo más grande, lo más importante. ¡Oh, libertad, cómo te añoro! ¡Sólo pido ser un pájaro como los demás!"

»Existen ciertos hombres que se parecen a este pájaro... Una justa o injusta reputación, la pobreza, circunstancias inevitables, la adversidad convierten a los hombres en prisioneros. ¿Llega a saberse qué es lo que libera a cada uno de su cautiverio? Se trata de una larga y profunda afección. El sentimiento de amistad, el amor, la hermandad permiten abrir la prisión, por el enorme poder, por la fuerza mágica que desprenden.

»Cuando la simpatía se renueva, la vida se restablece. Y la prisión a veces se llama incomprensión, prejuicios, ignorancia de alguna cosa, falta de fe, vergüenza... Me sentiría muy feliz si pudieran reconocer en mi persona algo más que un ser humano ocioso.»

Capítulo VII

¡Sé valiente!
¡Transfórmate en un león!
¡Transfórmate en un pirata!
Hazlo siempre cuando escribas...

E n este capítulo deseo relatar algunas vivencias de mis talleres de escritura en los que aprendí mucho. A pesar de que todo el mundo posee talento y puede ser original, a menudo nadie lo descubre hasta que pasa bastante tiempo. Muchas personas, en ocasiones, sienten temor o se controlan demasiado, o son muy orgullosas o demasiado tímidas a la hora de escribir. Se les ha llenado la cabeza con demasiados datos relacionados con cómo construir un texto, la organización de un argumento, su unidad y coherencia.

Mi hermano menor escribió una redacción cuando tenía doce años y cada tres oraciones incluía la frase: «No se me ocurre nada». Ésta es una de las frases que más aparece en la mente de los escritores durante muchos años. Y eso sucede porque se nos ha enseñado que la escritura debe dar como resultado una serie de construcciones muy especiales cuando, en realidad, escribir es como ponerse a conversar, sólo que plasmando las palabras en un papel.

Otro problema común en los escritores cuando comienzan a desarrollar su tarea es la ansiedad que muestran por ser eficientes e impresionar a los lectores. Escriben pretenciosamente y les resulta difícil no hacerlo así. Éste era mi mayor problema.

Durante muchos años me rompí la cabeza pensando por qué todo aquello que escribía parecía tan pretencioso, altisonante, poco creíble y, en consecuencia, aburrido. Era terrible leer nuevamente aquellos escritos. Por supuesto, nunca pude vender ninguno de ellos.

Llegué a comprender durante mis clases por qué me sucedía esto. Semana tras semana, utilizando divertidos estímulos, mis alumnos —aun aquellos cuyos trabajos parecían aburridos, llenos de lugares comunes y trillados— lograban romper las protecciones; entonces, los resultados lucían llenos de vitalidad y de verdaderos logros. Y pareció que ello sucedía de golpe, de la noche a la mañana. Pudieron dejar a un lado su preocupación por componer un tema o escribir sobre algo en concreto hasta alcanzar el grado de libertad y de confianza necesario para escribir desde lo que suelo llamar «una veracidad microscópica».

¿Cómo ocurrió este cambio? Creo saberlo; pienso que les ayudé a lograrlo. Y no lo hice a través de las críticas, como habría sido, por ejemplo, señalarles todas las mediocridades que surgían de sus esfuerzos (de este modo sólo hubiera conseguido ponerlos nerviosos y tensos, y centrar su atención en tratar de evitarlas). Les ayudé intentado hacerles sentirse más libres y más audaces: «¡Atrévete! ¡No te preocupes demasiado, sé atrevido! ¡Sé un león, sé un pirata! Escribe de cualquier modo, aunque te parezca desfasado».

Francesca me ayudó en la comprensión de este proceso. Cuando enseña a tocar el violín jamás le señala a un alumno que está tocando mal una nota.[1] ¿Por qué actúa de este modo? De cierta manera, el alumno ya lo sabe. Todos tratan de alcanzar el mejor tono, de lograr cierto grado de perfección. Entonces, ¿por qué fijar la atención en tratar de evitar los errores? Esta preocupación tensa aún más a los alumnos y les

---

1. Francesca también me dijo que todo el mundo se siente atraído por la música y puede cantar. Algunos piensan que no serán capaces, pero esto les pasa porque no han aprendido a escuchar correctamente, otros creen que tampoco lo lograrán porque se ponen demasiado tensos.

hace rechazar las lecciones. Por otra parte, si están pensando demasiado en las notas que han sonado mal, pues se les ha advertido de ello, las tocarán una y otra vez con temor a volverse a equivocar. Para tocar una nota *verdaderamente*, como hace la persona más simple, la mente debe estar completamente concentrada en la nota verdadera y la Imaginación debe oírla tal como *deseamos* que sea tocada.

Muchas personas dotadas de cualidades para ser buenos autores tienen tanto miedo de escribir una historia que parezca pobre, que no pueden controlar los nervios hasta que han logrado escribir una frase; cuando esto sucede, ya han pasado varios meses. Lo que conviene decir a esta clase de personas es lo siguiente: «Mira qué *mala* puede llegar a ser la historia que escribes. Observa qué aburrida es. Y ahora sigue adelante: puede convertirse en divertida y amena. Te pagaré si logras escribir algo verdaderamente aburrido desde el inicio hasta el final». Y por supuesto, nadie lo logra.

Cualquiera puede intentar escribir una historia con estas características; es una especie de desafío para descubrir que ninguna historia puede ser aburrida en su totalidad. En cierto modo, ocurre lo mismo que con la gente que intenta mostrarse inocente, pero que no lo es: como no lo logra, al final acaba dándose por vencida. Ellos encontrarían lo natural que resulta ser bueno y no se esforzarían tanto en demostrarlo, ya que les hace hipócritas aunque de un modo simpático.

Cuando decidí explicarles a los alumnos más tímidos de la clase lo mal que podían llegar a escribir, tuvieron valor para probar con unas pocas oraciones. Les sucedió lo mismo que le pasaría a cualquier ser humano: no se puede construir una frase sin contar algo —algo tierno, violento o agitado que habita en sus almas—, sin expresar algo bueno. Quiero puntualizar esto: hay que armarse de valor para escribir cada vez con mayor soltura.

Para demostraros que las personas pueden llegar a escribir cuando se sienten inspiradas, contaré algunas experiencias relacionadas con varios de mis alumnos. No hablaré, sin embargo, de aquellos a quienes la escritura resultaba un acto fácil, sencillo, superficial, fluido, pues estos alumnos, gracias a su facilidad de palabra, llenaban el papel muy pronto porque conseguían romper antes que nadie esa protección que oculta la verdad que todos llevamos dentro.

Sara McShane (la llamaré así) es irlandesa y soltera; tal vez tenga treinta años. Se viste con sencillez y, debido a su palidez, mejillas huesudas y ojos inclinados, podría pasar por china. Es tan tímida que no puede mirar a una persona directamente a los ojos. Cuando habla, no puede mantener su rostro triste y entonces sonríe ampliamente; su sonrisa está, al mismo tiempo, llena de humor y de vergüenza. Trabaja como mecanógrafa durante nueve horas al día en la planta subterránea de un gran almacén.

Los primeros escritos que me mostró los había realizado en un cuaderno de notas muy grueso, de casi cuatro centímetros de espesor. Estaba completo y se titulaba *Cuatro días en el Glacier Park*, por Sarah McShane, 1935.

La primera oración decía:

«Es siempre algo fascinante ver pasar un tren de mercancías: la enorme y negra locomotora cuyos movimientos acompaña el horrible y huesudo brazo, las interminables hileras de vagones cargados hasta los topes de pilas de provisiones, los pesados tanques de aceite y, por último, el furgón de cola. Todos, sin excepción, desde el más joven al más anciano, lo contemplarán impasibles, en actitud silenciosa y serena.»

Tan pronto como leí: «la enorme y negra locomotora cuyos movimientos acompaña el horrible y huesudo brazo» supe que ella era capaz de escribir. Podía ver y describir objetos. Lograba plasmar con palabras lo que veía y sentía. No tenía el impulso (como muchos de nosotros, que hemos cursado estudios superiores) de describir sus sentimientos y luego pensar: «No, quedaría mejor de este modo: "La locomotora, cual corcel que cabalga por las praderas" o de forma menos rebuscada: "La locomotora con sus altas ruedas".»

Lo que sentía, lo que la impresionaba[2] «cuyos movimientos acompañaba el horrible y huesudo brazo», lo escribía sin más. Éste era sin duda un buen inicio. Le comenté lo visual que resultaba la descripción realizada en estas pocas líneas:

«El flamante tren con aire acondicionado era en sí mismo una curiosidad. No más ceniza, ni humo, ni aire enrarecido; en su lugar, una atmósfera clara y limpia. El interior de los vagones se había pintado en un delicado color verde, más propio de un baño o de un dormitorio. Se habían colocado perchas plateadas en los armarios y pequeñas y luminosas lámparas para la noche, así como sencillos y mullidos asientos para los pasajeros. Todo un verdadero lujo de detalles.»

A partir de este texto pude deducir (y se lo comenté) que estaba dotada de una mirada simple; percibía todo aquello con un placer sereno y lograba expresar exactamente lo que veía. Y poseía un tranquilo entusiasmo. Le gustaban los colores bonitos: «verde delicado», «plateado», y su verosimilitud tan naïf, su amor por las cosas, mostraba una vez más que la poesía y el poder creativo se hallaban en su interior. Asimismo, se presentaba como un ser humano simple y bueno, con capacidad para elegir palabras poéticas, sencillas y breves como suelen hacer los poetas de Irlanda. Sarah era irlandesa y poseía una hermosa y suave voz. Esto, lo supe de inmediato, era una prueba más de que esta mujer podría escribir.

En una enorme libreta anotaba todo lo que veía: a qué hora partían y llegaban los trenes, y a qué hora se detenían en las ciudades.

---

2. Ella no «buscó» sorprenderse con esto; simplemente, sucedió así. Otra persona, seguramente, se sorprendería con otra cosa.

«Los paisajes familiares se iban quedando atrás mientras el tren galopaba de una ciudad a la otra. Humo y chimeneas; casas y árboles, llamativas y fosforescentes señales; majestuosos molinos de harina; y el río Mississippi. Todo con una visión panorámica.

»En las afueras de Wayzata,[3] a orillas del lago Minnetonka, la fría neblina azulada se extiende hacia su borde izquierdo, para estremecerse en finas y blancas capitas redondeadas. Reflejándose en las aguas, luce el dorado sol, que forma una aureola de brillantes colores.»

Me gusta muchísimo la descripción: «para estremecerse en finas y blancas capitas redondeadas». Me pareció todo exacto, porque ella lo narró como lo había sentido alguna vez, y de ese mismo modo me lo hizo sentir a mí también. «Reflejándose en las aguas, luce el dorado sol, que forma una aureola de brillantes colores.» Me agrada también. Me encanta ahora, mientras lo escribo. Asimismo se refería a los hoteles en los que se había alojado.

«"¿Cómo me las arreglaré para pasar aquí la noche?", pensé nada más cruzar el umbral de la puerta... La madera, que predominaba en la decoración, le daba a la habitación un aire excesivamente frío, que recordaba la atmósfera de los días lluviosos. A Martha le gustó más que a mí. Enseguida se lanzó sobre el sillón de mimbre y se descalzó.»

A partir de esta breve oración pude ver y saber todo acerca de Martha.

_____

3. Esto me aclaró muchas cosas acerca de la personalidad de Sarah McShane. Trabajaba en un sótano y le gustaba ver Wayzata, una pequeña ciudad a catorce millas de su casa. Se sentía feliz y agradecida, y ello significaba que podía escribir. La señal de que poseéis poder creativo es el entusiasmo. Blake dijo: «El entusiasmo se encuentra en todas partes».

«Aquella primera noche, la cena consistió en compota de frutas, sopa de pollo al aroma de quimbombó con tostones de pan, solomillo asado, una taza pequeña en forma de campana con una bola de algún alimento desconocido, puré de patatas, guisantes con mantequilla, cebollas a la crema, apio, bollos y café, y de postre, helado de crema escocesa y pastel.»

Sí, Sarah podía escribir porque era capaz de describirlo todo con sencillez, como era ella, sin pavonearse.

«Después de estudiar el glaciar, pasamos algún tiempo observando las cabras que habitaban en los peñascos escarpados de las montañas. Sólo alcanzamos a reconocer con nuestra vista unas pequeñas manchas moviéndose de un lado para otro. Una de las mujeres que iba en la expedición, la esposa del hombre más alto, llevaba unos prismáticos y nos los prestó para que pudiéramos ver con más claridad.

»Después de haberlos utilizado, la mujer me preguntó: "¿Llegó a ver las cabras?"

»"Sí", respondí de modo un tanto seco.

»No pude verlas. No pude ver nada. Todo lo que alcancé a reconocer fueron las lentes borrosas y húmedas de los prismáticos. Nunca he sido capaz de reconocer nada cuando miro a través de unos prismáticos.»

La clase comenzó a reír cuando leí este párrafo.

«Vea cómo también puede llegar a ser cómica», le comenté a Sarah McShane.

«¿Se da cuenta de cómo se ríe todo el mundo? Usted escribe maravillosamente bien y, además, tiene sentido del humor.» Ella se ruborizó complacida.

Capítulo VIII

*Por qué nadie debe sentirse
desilusionado o acobardado
frente al rechazo de sus escritos*

Sarah McShane terminó con el relato del viaje durante el curso. Intenté que cada vez lograra un toque más personal y libre. Ella se comportaba como suelen hacerlo las personas amables y sencillas que combinan el ego humano con el divino;[1] piensan que no son importantes, por lo que evitan decir «yo», esconden esta palabra modestamente y la mantienen oculta. Escribirán largos informes de viajes, como «A pie por las Montañas Rocosas», y al hacerlo serán capaces de dar estadísticas, altitudes, la lista de hoteles disponibles y una serie de datos que todo el mundo sabe o pueden buscar.

Pero para convertir todo este material en algo interesante y lleno de vida, debemos transformar la información en algo personal desde el «yo», es decir, desde lo que sé y lo que siento. Esto es lo más importante. Es la única verdad para el autor y nadie más la conoce salvo él. Deseaba que Sarah McShane se animara a escribir sobre sí misma, que hablara sobre ella y que se diera cuenta de que esto era también importante para su trabajo con la escritura.

Pero jamás se me ocurrió convertirme en una crítica escolástica que afirmara: «Debes prestar más atención en la inclusión de detalles personales».

---

1. Creo que sé cuál es la diferencia entre los dos. Trataré de explicárosla más adelante.

Si obraba de este modo, existía el peligro de que Sarah los incluyera de una sola vez y que resultaran acotaciones un tanto mecánicas del tipo: «¡Disfruté enormemente de la vista del Monte Grinell!»

No, no quería que ocurriera esto. En cambio, le mostré cuán interesante podía llegar a ser lo que había escrito y le señalé algunos fragmentos que mostraban su buen estilo. «Cuéntame más sobre este punto», dije. «Cuenta todo lo que piensas... Cuando hablas de un conductor de camión cuyas ropas estaban tan ajustadas al cuerpo como lo está la piel de un galgo, creas un cuadro brillante. ¿Dijo él realmente esto? ¿Llama a la mujer "una leona de cabeza dorada"? ¡Qué extraordinario!... ¿Qué te parece que le causaba la existencia de estos sentimientos hacia su mujer?»

Muy pronto, después de estas preguntas, se ponía a escribir y llenaba muchas páginas con una escritura lúcida, clara, vívida; describía a la gente que la rodeaba y los modos de vida de cada uno, su vida interior.

No me he referido a Sarah McShane porque me parezca más importante que los demás o porque mostrara en sus escritos rasgos de sofisticación literaria. Nada de eso: Sarah no había realizado cursos sobre Tennyson ni sobre Browing; tampoco había oído hablar a su familia sobre Dickens o Louise M. Alcott.

«¡Arnold Benedict o Benedict Arnold!», escribió en su diario. «¿Quién era? ¿Benedict Arnold no fue un traidor? Y el otro, el escritor del diario, ése es a quien estoy tratando de descubrir: ¿era Arnold Benedict?, ¿o era Arnold Bennett?»

Continuaba relatando cómo podía Arnold Bennett escribir mil palabras en noventa minutos.

«Me pregunto», afirmaba, «cuántas palabras sería capaz de escribir en una hora y media. Son las nueve y cuarto ahora.» Y esto después de nueve horas de trabajo diario en un sótano. Se sentó y escribió aproximadamente setecientas palabras.

«Pero mis papeles cayeron al suelo y tuve que detenerme para recogerlos; mis zapatos me apretaban y tuve que quitármelos, y tuve también que descansar y buscar la página 275 de *David Copperfield*, y pensé por un momento, una o dos veces, en sustraer este fragmento de la obra: entonces puede que lo consiguiera, mil palabras en noventa minutos.»

Lo importante es que ninguna frase de su diario es vacua o superficial. Cada palabra está llena de sentido y de gracia. Su diario es para mí tan interesante como el de Arnold Bennett y, por cierto, mucho más poético y emotivo.

Hago hincapié en esta mujer porque, de algún modo, llegó mucho más lejos que otros en lo que a la escritura se refiere. (Por supuesto, su escritura la condujo a leer buena literatura, como Dickens y otros autores, para poder aprender así de ellos. El único modo inteligente de comprender las cosas que resultan interesantes es hacerlas nuestras, ya se trate de la escritura, del arte o de la aviación.)

Y si comento esto sobre Sarah McShane es porque, a pesar de que ella era la persona menos autocomplaciente del mundo y estaba dotada de una angelical humildad, sentía pasión por escribir. Escribía sola. Buscaba ayuda y consejo y se costeaba un curso por correspondencia, que podía costarle cien dólares, y sobre el cual comentaba en su diario: «No era exactamente lo que buscaba.[2] Consistía en un curso de escri-

---

2. Siempre me pareció poco natural que la escritura de un periódico tuviera que ser tan vívida. A mi juicio, la mecánica fórmula periodística que fuerza a resumir una docena de hechos en la entradilla, y a repetir después en la columna lo que ya se ha dicho antes, es más aburrida, difícil e impenetrable que cualquier otro tipo de escritura. En la mayoría de diarios los titulares deben tener la fuerza suficiente como para hacer que los lectores lean también el cuerpo de la noticia. Esto no es culpa del tema tratado, pues todo cuanto sucede es interesante, sino de cómo se escribe.

tura periodística; en este tipo de escritura, lo más importante es lo acontecido. Los periodistas siempre citan las fuentes y los temas les vienen dados, cuando lo que yo quería era escribir algo escogiendo el asunto».

Cuento todo esto porque, de algún modo, nos muestra que el deseo de escribir está presente en miles de personas que jamás han pensado en el dinero que podrían ganar con ello o en si crean o no impecables figuras literarias.

Incluyo a continuación algunas páginas de su grueso cuaderno de notas.

• • •

Domingo, 6 de diciembre de 1936.

Esta mañana he ido a misa de ocho. Normalmente voy a las siete. El padre Corrigan da su sermón y me encantan sus palabras: siempre se refiere a las pequeñas cosas de la vida. Es un gran hombre. A pesar de que tiene cáncer de pulmón, su voz llega hasta los rincones más alejados de la iglesia; no parece que le cueste esfuerzo hablar alto y claro. Su salud no es buena y tiene frecuentes dolores, pero no se queja nunca. Todos sus feligreses lo aprecian. ¿Qué haría la iglesia de San Marcos sin él? Algunas veces los temas a los que se refiere son las pequeñas faltas que cometemos cada día; a menudo, después de escucharle, me he sentido culpable por estos pecadillos que cometo durante el resto de la semana. Si me miraba durante su discurso, yo tenía la impresión de que podía darse cuenta de todos mis pecados. ¿Cómo sabía él que yo había hecho eso? A menudo deseaba que hubiera un agujero en el asiento para desaparecer.

Al llegar a casa, mi madre estaba recostada en el sofá.

«Tendrás que prepararte el desayuno», me dijo. «No me encuentro muy bien». Mi madre está envejeciendo y a menudo le pido que no me prepare el desayuno, que no se preocupe por mí: puedo arreglármelas yo sola. Pero ella no presta atención. El desayuno siempre está sobre la mesa, esperándome. Mi madre padece de fuertes dolores de cabeza. Le sucede a menudo y debe permanecer en cama, a veces un día entero. Cuando no sufre dolor de cabeza, tiene reuma. Pocas veces no sufre ningún tipo de dolor.

Después del desayuno, me disponía a lavar los platos cuando mi padre entró por la puerta del comedor. Puedo reconocer fácilmente el momento en que llega a casa. Su bastón golpea sobre el suelo. Mi padre está viejo. Su cabello luce blanco y su cara es amable. Tiene la extraña idea de que la gente mayor debe ser gorda: se mide la cintura y si no alcanza ciento veintidós centímetros, se siente preocupado y come más. Piensa entonces que algo funciona mal.

Lavé los platos y luego los sequé. Me encanta fregarlos. A veces pienso que si perdiera mi actual trabajo, me gustaría conseguir uno de fregaplatos. A mi padre también le encanta lavar los platos; de hecho, le gusta hacer todas las tareas del hogar. Puede cocinar tan bien como una mujer. Sin embargo, nunca le vi preparar una tarta o un pastel. A veces hacía pan, y estaba bueno. Creo que pronto se dedicará a trabajos caseros y no realizará ningún otro tipo de actividad.

Después de terminar con los platos, decidí fregar el suelo. Mi madre no pudo fregar ayer. No se sentía bien y trató de hacerlo, pero fregó mal; seguro que si lo noté es porque el suelo estaba muy sucio. Eso habría dicho mi madre, y es cierto.

Justo cuando iba a buscar la fregona y el cubo, alcancé a oír unos pasos en el comedor. Era mi madre. Se había levantado e iba y venía por la sala. Yo no quería que se diera cuenta de que iba a fregar el suelo; no le habría gustado saber que dedico mi tiempo a estas tareas. Entonces bajé la escalera de puntillas y me dirigí hacia el sótano para buscar un barreño. Los cubos escasean en casa: tenemos sólo dos. Hallé uno que estaba lleno de un agua verde; tal vez mi hermano estaba haciendo un nuevo experimento (siempre está haciendo experimentos). Dos veces intenté arrojar el agua del balde, pero no lo conseguí. Tampoco pude encontrar el otro barreño. Sólo reconocí una antigua cacerola...

No lograba recordar qué clase de producto usaba mi madre para fregar los suelos y puse un detergente de color amarillo en el interior de la cacerola, la llené con agua caliente y comencé a fregar. Mi madre apareció por la puerta del comedor y dijo: «Ni se te ocurra. Lo limpiaré después de comer». Esto es típico en ella. Nunca me deja hacer las tareas del hogar; piensa que ya hago bastante con mi trabajo, durante todo el día. Si yo no trabajara y me quedara en casa, seguramente mi madre no tendría demasiados quehaceres, podría ayudarla y ella se dedicaría a las cosas que le gustan: coser, leer, hacer ganchillo, jugar a hacer solitarios y solucionar crucigramas. Alguna vez sugerí que buscáramos alguna persona para que nos ayudase con las tareas de la casa, pero ella nunca quiso. De algún modo se sentiría herida si pensáramos que no realiza bien sus tareas.

No sé qué pasaría si no existieran mis padres. Ellos son lo más preciado que tengo. A veces, cuando me levanto y está la casa caliente, comprendo todo lo que esto significa para mí. Mi padre enciende el fuego hacia las cinco y media, y alrededor de las seis y media todo parece abrigado y cálido.

● ● ●

Tal como puede observarse, escribe muy bien, de una manera lúcida y simple, sin palabras superfluas, y permite que conozcamos cómo viven su familia y ella con exactitud: cómo sienten, piensan y pasan sus días. Y a través de estas líneas, aunque jamás nos detalle cómo son ellos, podemos llegar a *verlos* hasta tal punto que quizá los reconoceríamos si nos los encontrásemos por la calle. Nos parece conocer también a su hermano, de quien sólo tenemos noticia a través del hecho de haber llenado el cubo con agua verde.

Muchas veces recorro las páginas de los periódicos donde publican importantes y bien educados escritores que ganan cientos de dólares con cada escrito. No encuentro historias que sean mejores que las que ha escrito Sarah McShane o, al menos, tan buenas como las de ella o que nos conduzcan con tanto interés a través de sus páginas.

He aquí un párrafo de Faith Baldwin, uno de los escritores mejor pagados del momento:

«El viejo Bradley se sentó en la cama y sacudió la cabeza restregándose los ojos empañados. Apoyó sus pies en el suelo, los colocó dentro de sus zapatillas y se sentó a escuchar... Era temprano. Avisó a los jóvenes de que se quedaran quietos y entró en el lavabo antes de que los otros se le adelantaran. Se pasó la mano por la barba de escasos días. Podía afeitarse en ese momento, bajar la escalera y poner en marcha todo para Winnie. La decisión era trascendental. De costumbre, y como una regla, esperaba para afeitarse hasta que los chicos se hubieran marchado a la escuela y sus padres, a trabajar. Para él, afeitarse antes del desayuno podría considerarse un atrevimiento. Y sin embargo, en su hogar siempre había sido así. Luego se sentía un hombre completo, decente, que bajaba la escalera con el rostro limpio y suave. En ese estado parecía disfrutar mucho más del desayuno.»

Este párrafo no es tan bueno como los escritos por Sarah McShane. El escritor necesita una enorme cantidad de palabras para contarnos mucho menos; es decir, no alcanzamos a ver ni a conocer al viejo Bradley tan bien como, por ejemplo, al padre de Sarah a través de su narración. Y cuando el escritor de este texto me dice que «la decisión era trascendental», comencé a pensar: «No, no le creo. Esta decisión no era trascendental, lo que estoy leyendo es inverosímil y él escribe esto para persuadirme o dar más altisonancia a su descripción».

Si cada uno intenta coger una revista y buscar las columnas de relatos de ficción, podrá reconocer fácilmente que no son ni tan buenas ni tan vívidas y que no permanecen en la memoria como las de Sarah McShane.

Abro *De ratas y hombres* porque no responde a la popular categoría de ficción, sino a la de «realismo severo» y arte «verdadero», como la denominan los que reseñan libros. La escritura de estos textos es diferente a la del de Sarah McShane, pero no es mejor, más convincente ni más vívida. Tiene más léxico, eso sí, pero de hecho no despierta en mí la más mínima compasión hacia sus personajes. Sin embargo, sí lo logra Sarah en las narraciones sobre su familia.[3]

En la actualidad me doy cuenta de que no es correcto comparar la ficción con un diario, es decir, con lo que es verdadero. Resulta mucho más difícil escribir hechos ficticios como si fuesen verdaderos. Por lo tanto, volveré a los artículos que aparecen en revistas corrientes, donde la gente escribe sobre los sucesos que ocurren, sobre la verdad, sobre lo que piensan y cómo los han vivido.

He aquí uno de *Pictorial Review*:

«Nosotras, madres de hoy en día, con niñas que entran en la juventud, no necesitamos que nos digan que nos enfrentamos a un mundo difícil; cada una de nosotras se da cuenta, en lo más profundo de su corazón, de que necesita toda la ayuda y comprensión para poder acercarse y ayudar de verdad a sus hijos.

»Habitualmente no se reconoce la realidad de este cambio. Hemos asistido a una fuerte ruptura tanto en la forma de pensar como en las conductas, entre nuestra época y la

---

3. A lo mejor se trata de prejuicios, pero soy una gran admiradora de la gente a la que intento ayudar.

actual, y esta diferencia no se da sólo en lo superficial, sino en aspectos más profundos.»

No es tan interesante como el de Sarah McShane. Es largo y se utilizan palabras complicadas que no resultan en absoluto poéticas. Es difícil de leer y requiere del lector una dosis de concentración. Y cuando el pensamiento ha absorbido todo esto, a través de la asimilación de las relaciones gramaticales y semánticas que se establecen entre los términos «humanidad», «generación», «superficialidad» y «profundidad», uno se da cuenta de que está comunicando algo que ya sabemos todos. No hay ninguna novedad en ello, y en el fondo, casi podríamos afirmar que tampoco es verdad.

Volviendo a la primera oración, «Nosotras, madres de hoy en día, con niñas que entran en la juventud, no necesitamos que nos digan que nos enfrentamos a un mundo difícil». Bien, ¿por qué contar todo esto? ¿Por qué adueñarse del tiempo del lector con estas extensas y opacas líneas? Sarah McShane no daría tantas vueltas para explicar algo, iría directamente al grano. «Muchas madres se enfrentan a un problema», lo que sería mucho más fácil de leer y también más interesante, además de mejor escrito.[4]

A continuación incluyo un artículo sobre la vida hogareña, al estilo de Sarah. Apareció en *McCall's* y su autora es la señora Roosevelt, quien escribe, al inicio de su artículo, «Mi hogar»:

«Es natural que al pensar en mi hogar, piense primeramente en la Casa Blanca. Recuerdo bien que, al verla, cuando la señora Hoover me la mostró, me sentí tan sorprendida, que grabé en mi mente la cantidad de cuartos, su distribución y de qué forma se podía organizar a la gente que iba a

---

4. No quiero decir que «yo» pienso esto, sino que también lo piensan Carlyle, Ibsen, Henry James, George Bernard Shaw, Dostoievski y muchos otros.

encargarse de su mantenimiento. Pero mientras pensaba en que el mobiliario debería ser cambiado, puesto que gran parte de él pertenecía al presidente y a la señora Hoover, los detalles de los muebles me impresionaron escasamente.

»Cuando entramos, el día de la inauguración, me dirigí al segundo piso con la certeza de que allí sería donde íbamos a vivir en el futuro. Debo confesar que me sentí un poco deprimida por la sensación de vacío que puede dar una casa desprovista de todo tipo de objetos personales.»

Sarah McShane escribe mejor que la señora Roosevelt. Hoy por hoy, no encuentro tan equivocado que las revistas publiquen lo que suelen publicar, y no los artículos de Sarah: hay miles de razones para justificarlo. Tampoco importa demasiado si la escritura de Sarah McShane es mejor que la de la señora Roosevelt, pues la señora Roosevelt será sin duda la primera en ponerse contenta por ello. Y todos estos escritores de revistas que he citado con cierto tono cómico y que tienen tantas cosas que meditar y sobre las que dejar sus huellas, no podrán descubrir jamás su verdadero yo y escribir desde ese lugar como lo hizo alguna vez Sarah McShane. Deben de pensar: «¿Es esto lo que le interesa publicar el editor?... ¿Es esto lo suficientemente prudente?... ¿Suena del modo en que un artículo para revistas debe sonar?

Os explico todo esto porque quiero demostrar que millones de personas, con y sin educación, piensan y sienten cosas que, a veces, no saben expresar de forma oral, pero que cuando las plasman por escrito parecen hermosas; esto es lo que ocurre con los verdaderos poetas y los hombres y mujeres de valor.

Quiero comunicároslo. De este modo no os sentiréis desanimados por el rechazo de vuestros escritos ni mucho menos aniquilados ante la comparación por escritores exitosos, y trabajaréis siguiendo vuestro propio camino, como lo hizo alguna vez Sarah McShane.

Capítulo IX

*Confusión entre ego divino
y ego humano*

En nuestro estado había una mujer que vivía en el campo y se dedicaba a escribir, con mucho éxito, artículos para revistas y periódicos sobre el transcurrir de la vida rural y de las ciudades pequeñas.

Algunos alumnos de clase cuestionaban su éxito y su talento, mientras otros, con gran admiración, se dedicaban a copiar en sus diarios todo lo que esta mujer escribía.

A continuación os mostraré un pequeño extracto e iré intercalando, entre corchetes, los comentarios en los que explico por qué creo que no es tan bueno como parece.

«Todo se queda tan tranquilo después de que la trilladora desaparezca detrás de las vallas de la carretera, que el lugar resulta vacío y desearías que los campesinos volvieran con sus palabrotas, risas y pequeñas trifulcas. ¡Cuánta seriedad!; incluso los niños están serios, y ¡qué caras tan largas! Detrás del granero se vislumbra un reluciente montón de paja de apariencia extraña y alarmante [extraña, quizá, pero no alarmante]. Sin embargo, se trata del monumento a la labor de un marido, de repente te invade un profundo sentimiento de ternura [no me puedo imaginar que quiera decirnos que se sienta así sólo por el hecho de mirar un montón de paja].

»Quizá los hombres vestidos a la modá lleven chaquetas de colores claros con polainas y este tipo de ropa [intenta ser original], pero en esta parte del país seguro que también hay hombres bien vestidos que utilizan botas profusamente altas [tono amanerado, es decir, que no lo siente así pero quiere causar una buena impresión] adornadas con insignias de barro y de aves de corral y distintivos de espantapájaros [de nuevo intenta ser moderna], jerséis con mangas desgastadas, monos viejos y gorras rígidas por la acumulación de grasa y polvo [este párrafo es bueno porque dice la verdad y así lo siente].

»Durante la estación de la recogida de maíz, a diferencia del inmortal silencio de Longfellow, el de la campesina se prolonga desde el amanecer hasta que empieza a despuntar el sol [aquí quiere resultar literario]: un espacio de tiempo impreciso [no creo que realmente pretenda decir "impreciso"] de diez o quince minutos que disfruta para sí misma. La cocina está caliente, el desayuno preparado, los niños todavía no se han levantado y su marido aún no ha llegado del granero. Parece como si de repente no hubiera nada que hacer. ¿Puede ser real? [desde luego que lo es, sucede cada mañana]. Éste es uno de los momentos más dulces del día: un momento en el que una puede sentarse frente a la ventana y contemplar el amanecer con sus colores de concha rosa satinada [esta imagen me gusta mucho]. Un momento increíblemente bello [sin embargo, ahora no me lo creo, el tono es afectado, no sentido; si lo experimentase de verdad, me lo creería].»

De este texto podemos concluir que todo lo que suena a falso y exagerado no es bueno y resulta aburrido. Por lo menos, ésta es mi opinión. Una de mis alumnas escribió el siguiente texto sobre la vida rural cuando se liberó lo suficiente como para transmitir lo que realmente sentía y recordaba de ésta:

«Quizá se trataba sólo de la alegría de sentirse cómoda y caliente, mientras afuera el viento sacudía las cosas. El viento me gustaba por sí mismo, y sólo oírlo me daba sensación de paz.

»Me frotaba las manos una y otra vez cerca del sofá, con sus cojines rellenos con vainas de maíz, y olfateaba con satisfacción el ligero olor a humedad tan casero. Sentía en mis dedos un cierto cosquilleo cuando acariciaba los parches de las fundas del sillón, esas fundas hechas a base de trozos de tela de trajes desechados, de colores marrones, grises y azul oscuro, recuerdos de las tranquilas tardes de invierno al calor de la estufa.

»El reloj marcaba la hora con un tictac balbuceante, como si se aguantara de pie de milagro. Ocasionalmente, se oía el graznido de los patos, y el tren de carga de la tarde corría con su habitual ritmo perturbador.

»Miré los cuadros que estaban colgados en lo alto de la pared: un grabado del Arca de Noé con animales que aparecían en escena de dos en dos; el calendario anual de la General Mercantile Company, lleno de casas con nieve en los tejados y representadas con brillantes oropeles, y una fotografía de la abuela adornada con una guirnalda de flores de cera y enmarcada en nogal.

»Eso me recordó lo que Pauline me había dicho hacía unos días. Su madre le había prometido que cuando el abuelo muriese, yo podría asistir al funeral. Después de todo, él no era mi abuelo. Me preguntaba si debería incluirme en ese acto familiar, aunque así lo esperaba. No es que quisiese que el abuelo se muriera, pues a pesar de su mal humor era amable y nos daba caramelos de menta mientras nos contaba historias de sus días en Missouri, donde vivió de niño; es que los funerales eran muy bonitos. Pauline y yo presenciamos uno, no hace mucho, en el vecindario. Había sido una tarde de amodorramiento y, a través de las ventanas de la casa, pudimos escuchar el sonido del órgano y el canto de un himno. El patio estaba lleno de caballos mientras llegaban familiares de todas partes. Olimos la fragancia de las flores enviadas desde "las ciudades" y miramos con mucho interés cómo gente tan mayor salía llorando. ¡Oh, mira a ése!, susurrábamos de vez en cuando como si se tratase de una especie de competición de melancolía.

»Ahora, a veces me encuentro mirando al abuelo con un macabro interés, aunque algo avergonzada por mis pensamientos. ¿Le importaría mucho morir? Ya era viejo. No es que tuviera una idea clara acerca de la edad de las personas, pero me imaginaba que por lo menos debería de tener cincuenta años. Bueno, ya veríamos. Por ahora bastaba con permanecer allí, no pensar en nada y echarse una siesta antes de que se sirviera la comida en la gran mesa del centro de la habitación, cubierta por un enorme mantel de hilo. Habría leche, café, salchichas, queso, mermelada y galletas. Además, hoy traerían pan fresco y mucha mantequilla.

»A lo mejor llovería, pues el cielo estaba empezando a nublarse, pero no me importaba, pues para entonces ya habríamos ido chillando desde casa a la cocina de verano, con nuestras cabezas cubiertas con los chales, mientras otros pisarían los charcos y se caerían.

»El sonido del viento se hizo más intenso y miré por encima de mi hombro para ver qué pasaba. Sí, estaba soplando fuerte. Un gallo que parecía tonto, con sus plumas desordenadas, corría por el patio buscando la protección del corral. La rama de uno de los árboles chocó contra el cristal de la ventana. La vieja cuerda se sacudía de un lado para otro como si estuviera nerviosa. Manojos de heno de las siegas procedentes de los cobertizos se esparcían por toda la hierba.

»Además del áspero sonido del viento, oí un quejido que procedía de la hilera de sauces situados cerca del jardín. Eso era lo que más me gustaba. Me estiré para escuchar, con los ojos cerrados, y me sentí adormilada, deliciosamente lejana. Las ventanas resonaban, pero oírlas también me gustaba. Todo resultaba familiar y seguro. No había tiempo o lugar más satisfactorio para dormir placenteramente, acunada por el viento y sabiendo que al final de la oscuridad me levantaría ante caras amigas y el sonido de voces amables y conocidas.»[1]

• • •

Todos podéis apreciar que este texto es muy bonito. Resulta imposible acortarlo. He intentado eliminar alguna frase de aquí o de allá, pero me ha resultado imposible. Todas son demasiado buenas y necesarias. Así es el arte, la literatura, la buena escritura o como queráis llamarlo.

Con ello no quiero decir: «Mira esto. Hazlo de este modo. Esto es bueno y esto es malo». En absoluto; sólo afirmo que todas las personas tienen en su interior la capacidad de escribir bien cuando expresan libremente lo que es verdad para ellos.

Si no os hubiera hablado así e hiciera como la mayoría de profesores y críticos que dicen: «Esto es realmente bueno, estudiadlo», y lo ensalzara hasta los cielos, seguramente intentaríais escribir del mismo modo y no os haría ningún bien. Por el contrario, os animo a que no intentéis imitar ningún modelo, sino a que escribáis desde vuestro yo más íntimo.[2]

La persona que escribió tan bien esta historia sobre la vida en una granja vivía sola, no tenía familia y había perdido su trabajo. Era una mujer de tez pálida, le faltaba confianza en sí misma y se hallaba bloqueada por un gran sentido de autodesprecio. Su mirada era fría e inaccesible y su voz, temblorosa y casi inaudible. Sin embargo, era guapa, vestía con estilo y tenía una franca y amplia sonrisa.

La primera noche que asistió a clase dijo con timidez y en voz baja que a veces había pensado en ser columnista de

---

1. Escrito por Elsa Krauch.
2. Espero enseñaros cómo hacer esto (o, por lo menos, ayudaros).

un periódico, y me enseñó sonrojada una o dos frases para que le diera mi opinión:

«Normalmente, la vista desde mi ventana es triste y deprimente: contaminación, coches aparcados, vallas rotas, edificios bajos. Pero entonces, una mañana, la nieve lo cubre todo con su manto...»

Le contesté que escribía muy bien y que no se lo decía para halagarla, pues esto mismo ya se lo había expresado a otras personas. Cuando quiero opinar sobre algo o alguien siempre digo la verdad.

Ahora, pasados dos años, ya ha escrito un excelente libro que ha tenido mucho éxito. Vive de su escritura, de hacer algunas traducciones y otros trabajos, y continuará escribiendo, cada vez mejor y con mayor libertad. Estoy segura de que le espera una vida llena de alegría.

Para concluir, diré que, hasta el día de hoy, ha sido mi mejor alumna. En poco tiempo ha logrado alcanzar un elevado nivel de autoconfianza. Ahora se respeta a sí misma y acepta su inteligencia y su luz interior, sin importarle lo que pueda sucederle aquí, en la Tierra, o en la vida eterna.

Y ahora, quizá ha llegado el momento de explicaros qué pienso sobre la diferencia entre el ego humano y el ego divino. Cuando aludo a la autoconfianza y la energía no me estoy refiriendo a la presunción (ego humano). Esta última es muy diferente: consiste en caer en un estado estático en el que permanecemos una vez realizado o imaginado un logro. Entonces nos dormimos en los laureles y vamos diciendo a todo el mundo (de diferentes maneras): «Mirad, hemos logrado esto». Sin embargo, la autoconfianza nunca es permanente, sino que está en constante lucha. Es modesta, agradecida y abierta a todo lo que es nuevo y mejor.[3] Por eso creo

---

3. Y así de sencillo debe ser antes de que se nos ocurra algo mejor.

que la ostentación es tan desagradable; uno siempre llega a lamentarla: «¿Por qué sigo jactándome si ya está acabado? ¿Por qué me regocijo en ello? ¡Anda, haz algo nuevo y mejor!»

Sin embargo, nunca llegas a lamentar el sentimiento de poder interno, es decir, el ego divino, que aumenta sin cesar. Así que deberíais aprender a hacer esto: si escribís algo y todo el mundo os dice que es malo —editores, críticos, etcétera— volvedlo a leer: a lo mejor descubrís que tienen razón (no significa que os debáis sentir avergonzados ni desanimados, sino que continuéis escribiendo).

Sin embargo, si todos os dicen que el texto es malo y seguís pensando, en vuestro interior, que es bueno, si todavía creéis que lo que escribisteis (es decir, lo que sentisteis) contenía una verdad para vosotros, entonces mantenedlo. Quizá os pueda ayudar, en este sentido, el ejemplo de Beethoven, que era sordo; la gente decía de él que su música contenía disonancias porque no podía oír. Pero él sabía que creaba esas disonancias intencionadamente, y las defendió contra viento y marea, cosa que no le debió de resultar nada fácil.

La mujer con confianza en sí misma que escribió la historia sobre la vida en una granja, cuya fama ha subido por las nubes, tuvo una ventaja: la de haber vivido una triste y solitaria vida[4] que le proporcionó mucho tiempo para pensar, poner a trabajar su imaginación y sentir la necesidad de expresarse a través de la escritura.

Millones de personas, *todo* el mundo, poseen la misma luz interior, su propio poder creativo. Sólo hay que ir en su busca, respetarlo y darle alas.

---

4. Observad que los recuerdos de su infancia en la granja son tan dichosos gracias al afecto y cariño de quienes estaban a su alrededor.

Capítulo X

*Por qué las mujeres deberían descuidar
algo la casa para poder escribir*

He aquí lo que hace que escribamos bien: el hecho de darnos cuenta de nuestro talento para crecer con energía y en libertad.

A mis alumnos les pido que cuenten algún recuerdo de su niñez y después que lo escriban en un papel con rapidez, improvisando. Da buenos resultados porque de este modo se olvidan del acto de escribir «un relato» y no intentan agradar al profesor. Su único esfuerzo consistirá en contar con espontaneidad e impulsivamente lo que recuerdan.

Les pregunto por experiencias de su infancia[1] porque un niño experimenta las cosas desde su verdadero yo (creativo) y no desde su yo teórico (sumisa y obedientemente), es decir, el yo que cree que debería ser. Por eso los recuerdos de la niñez son los más vivos, intensos y verdaderos; como los de la niña del capítulo anterior que, sin crueldad, deseaba la muerte de su abuelo para poder divertirse en el funeral.

Sin embargo, cuando un adulto[2] escribe sobre experiencias recientes, está continuamente autoexaminándose y dice: «Dios mío, ¿cómo he podido tener alguna vez un pensamiento

---

1. Esto es, *sienten* algo al escribir sobre su infancia si creen que puede ser interesante. Algunos prefieren otras vías de aprendizaje.
2. Hasta que aprenda mejor, a no ser que descubra su propia verdad y cómo escribir sobre ella.

tan mezquino sobre tía Mari?» Entonces escribe: «Era una adorable viejecita de mirada traviesa», palabras que no salen del verdadero yo y que, por lo tanto, no son válidas.

Una madre de cuatro hijos, trabajadora y con pocos medios económicos, vino a clase porque quería aprender a escribir. Escribió a mano (supongo que por la noche, después de once horas de duros trabajos caseros) y en un papel de rayas azules una larga y pésima novela rosa. Pero no me dediqué a criticarla (y cometer un asesinato allí mismo, como tantos amigos, padres, profesores y editores hacen con placer y un sentido del deber bien cumplido),[3] sino que intenté encontrar algunas frases buenas de entre otras horribles, se las comenté y le sugerí que escribiera algunos recuerdos de su niñez: «la única condición es que debes hacerlo sin prestar atención a lo que escribes, tal cual vengan a tu mente los recuerdos». Y esto es lo que obtuve. Tengo que resumirlo un poco.

• • •

Apresuradamente, Carolyn se sacó el pesado camisón de franela; tiritaba al ponerse la camiseta de manga larga y las medias de lana todavía húmedas de haber pasado la noche en el suelo...

Después de cepillarse rápidamente el pelo, una larga y desaliñada trenza hecha con los dedos rígidos, y de buscar su cinta para el pelo, que había desaparecido, sus dientes empezaron a castañetear. Así que se recogió el cabello con la primera cosa que encontró y se introdujo dentro de sus ajusta-

_____

3. Además, yo había escrito así de mal hasta que manejé más vocabulario. Pero ella tenía mis defectos, como por ejemplo, tratar de contar una historia por capítulos en la que «los buenos ganan». Intenté demostrarle más tarde por qué esto no funciona. Cuando uno escribe, está reflejando su personalidad; así crece y predica menos. He aprendido que el mejor modo de conseguir que la gente dé algo de sí misma es no apretarles.

das enaguas rojas de franela, que la mantenían caliente; después, dentro del pesado vestido a cuadros, y bajó estruendosamente por una escalera chirriante, con los pies desnudos para ponerse los zapatos cerca de la chimenea de la cocina. Como siempre, Carolyn tenía prisa por llegar a la hora en que sonaran las campanas de la iglesia de St. Joseph. Mientras tanto, su madre ya había preparado el desayuno y le echaba una mirada para comprobar si lo llevaba todo puesto. Le faltaba un cordón del zapato.

—Caroline (su madre nunca decía «Carolyn»), ¿dónde está el cordón de tu zapato?

—En su cabeza otra vez, madre. —La contestación procedía de la meticulosa Elisabeth.

—Sube la escalera rápidamente, jovencita, y coge tu cinta del pelo.

—Pero, madre, arriba hace demasiado frío.

—Haz lo que te he dicho, y no olvides lavarte.

Mientras Carolyn rebuscaba entre la colcha la cinta de pelo, se dio cuenta de que en la cama yacía un pequeño montón de nieve que había entrado por la grietas del alero. La quitó con la mano y deseó haber sacado su cinta bien doblada del interior del cajón, como siempre hacía Elisabeth. Ésta nunca tuvo que correr tras sus cosas en los días de frío... Finalmente, encontró la cinta atada fuertemente al pie de la cama. Desde luego, no era una vista agradable... Después se dirigió hacia la palangana llena de agua congelada que seguramente la noche anterior había estado caliente. Debe de ser terrible congelarse de ese modo, pensó Carolyn.

De nuevo bajó por la escalera, esta vez con tranquilidad. Cogió su gorro y su abrigo del colgador que se encontraba al final de la escalera, y salió silenciosamente por la puerta. ¿Llegaría a tiempo? Sí, su padre la esperaba junto a la puerta del corral. Entonces su sonido se oyó claramente atravesando cinco millas de campo helado. ¡Dong, dong, dong! Ambos estiraron el cuello para escuchar.

—Esta mañana hemos debido de estar a unos treinta grados bajo cero, pues las campanas suenan muy fuerte.

—Padre, ¿se imagina que pudiéramos oír las campanas del trineo del primo Jeff cuando sube por el río?

—Normalmente no las oímos desde tan lejos a no ser que estemos por lo menos a cuarenta bajo cero. Escucha.

—Son ellas, son ellas —aplaudió Carolyn con alegría—. Y están en el río, padre, ¿las oye?

—Debe de haber muchos trineos.

El sonido de las campanillas de los trineos se oía cada vez con mayor claridad. Estaban dirigidas por grandes campanas redondas que el primo Jeff tenía puestas en la parte delantera y trasera de su grupo. Cuatro en cada caballo. «Cling clong, cling, clong», sonaban con un tono melodioso. En las que colgaban de los cuellos de los caballos aún se escuchaban tonos más altos.

Iban sonando más fuerte a medida que salían del límite forestal para adentrarse en el extenso y congelado río por el que los granjeros arrastraban la madera obtenida de sus acres vírgenes, en dirección al mercado. El descenso de las cargas, una larga hilera de pesados trineos y los gritos de los vendedores que mezclaban sus agudos chillidos con el tintinear de las campanillas, anunciaban una mañana muy fría.

El padre de Carolyn vivía a medio camino, en un recodo del lago. Sus dos hijos, con sus respectivas cargas, se unirían a la interminable procesión, ya que sólo se llegaba al mercado tras una larga caminata.

—Padre, cuando hace tanto frío como hoy, ¿no cree que los trineos suenan mejor?

Ella no estaba segura de que la pudiera comprender. Los trineos que pasaban le causaron una extraña sensación. Hubiera querido embotellar todas sus melodías y guardárselas. Carolyn nunca había oído una sinfonía, pero así se la imaginaba al escuchar esos trineos durante los fríos días de invierno.

—Sí, hija mía, me encanta cómo suenan.

Carolyn se acercó a él y metió su pequeña manita de niña de diez años dentro del guante que protegía la del adulto. Es bueno tener a alguien que te entienda. ¡Cling, clang, cling, clang!, y el claro sonido de los trineos, como los tonos de un violín, estallaba sucesivamente en el aire vigoroso con toda su gloria, mientras se desplazaban por la ladera.

—Suenan mejor que las campanas de St. Joseph —dijo Carolyn—. Creo que así deberán de oírse en el Cielo.

—A lo mejor no te equivocas.

«¡Dong, dong!» Las campanas de la iglesia dirigían de nuevo la sinfonía de los trineos.

—Ven, hija mía. Hemos permanecido aquí de pie durante una hora, te congelarás. Corre y prepárate para ir al colegio. Y no te olvides de abrigarte mucho porque las campanas indican cuarenta grados bajo cero.

• • •

Como podéis ver, escribe muy bien y posee un oído excepcional para escuchar bellos sonidos; tanto, que probablemente también podría componer música si lo intentase. Asimismo, apreciaréis su gran emoción y claridad al hablarnos sobre las mañanas de invierno, de modo que nosotros también lo experimentamos y tenemos una idea exacta de cómo eran.

El verdadero yo de otras personas, en cambio, es ser graciosas. Una alegre y corpulenta mujer vino a clase. «¿Quieres escribir?», le pregunté. «La verdad es que nunca lo había intentado antes», contestó, insegura.

«¡Bien! Escribe algo, algunas experiencias de hace años.»

Esto es lo que me trajo:

• • •

Una noche de invierno, la señora Baker se estaba congelando mientras esperaba el tranvía en una oscura esquina. La única persona a la vista era otra mujer que también parecía esperar lo mismo, aunque ésta observaba a la señora Baker mucho más que a cualquier tranvía que se acercase.

¡Dios mío!, ¿por qué razón no se irá a casa esa mujer y dejará de mirarme?, pensó impaciente la señora Baker. Desde que me atracaron, el año pasado, no soporto que gente extraña se interese por lo que hago, y me atemoriza oír pasos rápidos detrás de mí.

La señora Baker se subió el cuello del abrigo. Era una noche fría en la que soplaba un viento cortante y caían pequeños copos de nieve que se deshacían al tocar el suelo. Estuvo un rato mirando los copos, olvidándose temporalmente de la mujer. Pero de repente se acordó y se giró, chocando contra otra persona que estaba de pie, detrás de ella. Ojalá venga ese tranvía y la mujer se vaya. Ahora deben de ser las once y no puedo comprender cómo esta esquina sigue estando tan desierta. Normalmente, hay mucha gente paseando por la acera. Creo que me iré a la otra. Mi amiga o enemiga, no importa lo que sea, no se arriesgará a seguirme.

La señora Baker caminó con paso ligero en vez de pasear con lentitud, y a mitad de camino, cuando se encontraba frente a un edificio vacío, oyó unos pasos rápidos que sonaban detrás de ella. Era la mujer, que la seguía.

Decidió que si aquella mujer le iba a dar un tirón para robarle el bolso, no opondría resistencia. Esa noche no podría luchar ni contra un conejo. «Si por lo menos supiera cuáles son sus intenciones.... Lo que más me molesta es esta incertidumbre.»

La señora Baker abrió su billetero justo lo suficiente para poder sacar el billete de tranvía e introdujo el mismo en su guante. «Por lo menos, que pueda subir si es que llega a pasar.» Se acercó a un escaparate e intentó interesarse por las joyas que estaban expuestas. Inmediatamente, la mujer hizo lo mismo.

De repente, la señora Baker vio cómo se acercaba el tranvía. Fue tan bienvenido como si se tratara de un carro de oro procedente del cielo. Entonces se envalentonó y se puso enfrente de la extraña. «¿Quiere algo de mí, señora?» Y ésta dijo: «¿Está esperando el tranvía de Rice Street?» Una voz interior aconsejó a la señora Baker que no dijera hacia dónde se dirigía, por miedo a ser seguida. Pero como ya estaba cansada de tanto escabullirse, dijo: «Sí, aquí viene», y salió precipitadamente a la calle mientras la desconocida ya le había puesto un brazo en el hombro para detenerla: «He intentado decírselo antes, pero usted rehuía de mí todo el rato», dijo la mujer. «Como puede ver, tengo dos billetes y quería darle uno.»

• • •

Creo que este texto tiene gracia; aun ahora, que lo acabo de transcribir, vuelvo a reírme. Recuerdo que no podría leer un solo párrafo de los relatos de la señora Baker sin que la clase acabara a carcajadas.

Entre mis alumnos había mucha gente divertida, como una mujer casada, muy guapa, con unos ojos claros y adormilados.[4] Esta señora empezaba sus historias del siguiente modo:

«Este maldito y viejo aspirador —decía la vieja Emma Judkins impacientemente, mientras lo frotaba sobre la alfombra del salón— aspira menos que el beso de un marido.»

O bien:

«Soy como la rosa de Sharon y los lirios del valle. El reverendo Ellison se sacó sus eclesiásticas suelas de goma y

---

4. Mucha gente graciosa parece que arrastre las palabras y que sea perezosa.

acarició con sus manos el traje bordado presentado por la Ladies Sunshine Society de la Iglesia Evangélica.»

También escribió una historia titulada *El Club de los Cazadores de Asesinatos.*
A continuación os mostraré la primera página.

• • •

En el salón de té de los almacenes se estaban sirviendo las comidas. Confinadas por un grueso cordón de color morado, una multitud de mujeres, compradoras compulsivas, se tambaleaban, cambiaban sus paquetes de una protuberante cadera a la otra, mientras trataban de aliviar sus aplastados pies de sus chanclos de goma, arrugados por detrás debido a la presión de unas amplias pantorrillas; sus ojos vidriosos permanecían fijos en un espacio en el que flotaban vistosas nubes de nata batida.

El «Nothwest Drag Hunt Club» celebraba sus almuerzos semanales por la tarde en el Salón de las Pirámides. Durante un día laboral, nadie que se hallaba en el comedor principal llegaba a tener una visión clara del Salón de las Pirámides; éste se encontraba entre unas columnas gemelas de cartón piedra decoradas con escritos egipcios que flanqueaban su amplia entrada. Los martes, el Salón se decoraba exclusivamente a base de altas pantallas y una cubierta que imitaba a las palmeras.

Hasta ahora, la azafata del salón de té había admitido a los socios del club bajo la atenta mirada del proletariado expectante, que nunca podría formar parte del mismo: la señora Wheasy, cuyas tres hijas criaban caballos de caza para incrementar la reducida renta familiar; el señor Countryman, cazador mayor, que imitaba a los caballeros ingleses en su pequeño estado a escasos metros de la ciudad; la señora Hubbard, cuyo hábito de montar a caballo dos veces por semana delataba su origen sureño, a días de resaca adolescente en su colegio privado de Missouri; Roger Hike, líder de la caballería montada de los Boy Scouts; la señorita Olivia O'Hara, cuyo entretenimiento era la cría de schnauzers; el señor Archibald Feather, todavía soltero en virtud de su discreta preferencia por las esposas entregadas; la señorita Daphne Reno, capaz de alimentar a tres caballos cazadores con el dinero enviado por algún ex marido que vivía en el Este; el señor Henry Alway, que montaba a caballo con la fútil intención de mantener su apostura; la señora Vera Clinkit, una secretaria particular que montaba porque creía que era «lo más inteligente que podía hacer», y para terminar, el coronel Boomer,[5] presidente de la entidad, quien entró en el recinto mientras las desordenadas palmeras crujían detrás de él como la hierba que queda tras ser pisada por un tigre.

Mientras tomaba su caldo, el coronel Boomer pudo observar que el frío no sería motivo suficiente para desanimar a aquel canalla, el detestable Archibald Feather. El tipo no era de su agrado desde que lo vio entrar en la pista con unos feos pantalones de equitación.

Cuando Archibald se sentó en la silla, sus codos se cayeron de la mesa, sufrió una sacudida repentina y vaciló hacia delante hasta que su barbilla golpeó el mantel. Sólo se le podía ver la cabeza con los ojos cerrados, el mismo aspecto que debió de tener en su día la cabeza de Juan Bautista.

«¿Qué ha ocurrido, señor?», se oía vociferar, mientras tanto, al coronel desde su mesa...

● ● ●

Bueno, con este ejemplo podéis apreciar que esta chica es más divertida que nadie. Tiene dos niños, un marido, casi no

---

5. ¡Qué nombres tan maravillosos!

ha escrito nada y no cree poseer ninguna habilidad especial. Le comenté que la tenía, pero sólo se lo creyó a medias. Como la mayoría de gente divertida y con talento, es demasiado encantadora y humilde como para trabajar por pura ambición o por la lejana esperanza de ganar dinero, y no se ha llegado a convencer (como yo ya he hecho) de que también existen otras razones para hacerlo; de que una persona como ella, incapaz de escribir una frase que no resulte deliciosa y divertida, le debe dedicar algún tiempo a la escritura en vez de estar siempre con el carrito de la compra, haciendo experimentos culinarios, riñendo a los niños y atendiendo al marido, descuidando por completo su imaginación y poder creativo, en definitiva.

De hecho, ésta es una de las razones por las que a muchas mujeres les resultan tan poco satisfactorias sus vidas. Siempre se ocupan de las tareas domésticas (hecho que no requiere que demuestren su talento ni sus capacidades), están dedicadas a los demás y nunca a ellas mismas. Tanto la sociedad como los maridos las alaban por ello (cuando se sienten demasiado desgraciadas o padecen una depresión nerviosa), aunque siempre algo perplejos e indiferentes y sólo para ofrecerles un poco de consuelo. A las pobres esposas se les recuerda que el motivo de que las mujeres sean tan fantásticas es que son poco egoístas y muy sacrificadas; ahí es donde reside lo maravilloso de su estado.

Pero en su interior saben que algo no funciona.[6] Creen que si siempre se dedican a hacer cosas para los demás, como una criada o una enfermera, y nunca para sí mismas, no podrán ofrecer nada bueno. Este «consuelo» las hace sentirse físicamente mejor, pero no las llega a influir espiritualmente, ya que para enseñar, animar, alegrar, consolar, divertir, estimular o aconsejar a un marido, hijo o amigo, tienen que

6. Las tareas domésticas a expensas del trabajo creativo, verdadero y brillante, son un pecado contra el Fantasma Sagrado.

sacar algo de sí mismas. Y, ¿cómo llegar a ser una misma? Pues trabajando duro y con sentido común por algo que aman, cuidan y creen que es importante.

De modo que si quieren que sus hijos sean músicos, deberán estudiar música también. Si lo que desean es que lleguen a ser universitarios, tendrán que ponerse a estudiar. Si esperan que sean honestos, ellas lo serán primero. Es así como funciona.

Por eso, a esas madres tímidas que asisten a clase y que anhelan escribir y no encuentran ni un solo momento para hacerlo, les digo: si cerrarais la puerta de vuestra habitación sin dejar entrar a los niños durante una hora al día, y afirmarais: «Mamá está trabajando en el quinto acto de su tragedia en verso», os sorprendería su respeto. Probablemente todos se convertirían en autores de obras de teatro.

Entonces, estas madres se quedan mirándome pensativamente y reconocen que es verdad. Pero resulta muy difícil, ya lo sé, cambiar de mentalidad, después de tantos siglos creyendo que las mujeres sólo deben alentar y promocionar el talento de los demás sin poseer nada por sí mismas (mientras que sólo se puede fomentar y alentar el talento de la gente si uno también lo posee).

Así, si las mujeres aprendieran de una vez por todas a ser algo por sí mismas, dentro de una generación tendríamos los niños más extraordinarios.

Os he mostrado estos pocos ejemplos de mis clases porque no tengo espacio para más. No puedo enseñaros todos los cuentos, obras de teatro y novelas que se han escrito. Pero ante estos pocos extractos del trabajo de personas sin experiencia os daréis cuenta de que el talento no sólo se aprecia en las revistas o en los libros, en las discusiones sobre las obras de Broadway, en las columnas de los periódicos, revistas literarias o en Hollywood. El talento se encuentra en todas partes.

Capítulo XI

Veracidad microscópica

Cuando se logra encontrar el verdadero yo y se habla desde él, la escritura siempre experimenta una metamorfosis, una transfiguración. A continuación os voy a sugerir otro modo de encontrar vuestro yo verdadero a través de la creación literaria. Se trata de lo que yo llamo escribir con «veracidad microscópica». Si creéis que os puede ayudar, probadlo.

Voy a llamar señora B a una de las asistentes a clase. Esta mujer hacía años que ya había escrito una novela (que no logró vender) y muchos cuentos. Había trabajado duro. Era una persona interesante y capaz, aunque algo de su severa, racional y práctica mirada (detrás de las gafas) me hacía presentir que iba a resultarme muy difícil hacer algo por ella. Había participado en talleres de escritura y había reescrito su «material» docenas de veces, tras estudiar las últimas tendencias literarias en revistas y nuevas publicaciones, y tomar notas de las mismas, para volver a escribir su novela de acuerdo con sus apuntes.

Ahora he encontrado esta carta que escribí sobre ella hace dos años:

• • •

Mi clase ya ha comenzado. Hay alumnos tímidos y gente de todas las edades. Me han entregado algunas cosas muy buenas. De hecho, me parece que la única persona sin talento es la señora B, que ya ha escrito novelas y todo tipo de historias. A lo mejor le exijo demasiado. La verdad es que dice que quiere de mí una «crítica inflexible» y no estará satisfecha hasta que me muestre dura (comportamiento en el que no creo en absoluto). Sin embargo, escribe desde una óptica poco personal: «cogió la silla», etcétera. Y cuando le indico que aclare algún párrafo de un cuento, quiere saber exactamente lo que debe poner. Yo le contesto que ahí reside su problema: piensa en las «palabras» y no en la historia o en la verdad de lo sucedido. No es bueno todo el esfuerzo en tratar de que las *palabras* suenen mejor; es preciso tener una idea más clara sobre las *personas* y lo que les ha sucedido. Estoy deseando ver si esto cambia su modo de trabajar, y he llegado a la conclusión de que ésta es la causa de que la ficción (excepto en el caso de las obras maestras) suene falsa: «Nancy Flumsy movía extrañamente la gorra que le protegía del sol cuando se cayó en el embarcadero del club náutico». Hasta la ficción de autores tan importantes como Galsworthy me produce esta sensación, con excepción de los maestros rusos.

Pedí a la señora B y al resto de la clase que pensaran en contar una historia, no en escribirla. Cuando cuentas una historia es cuando tienes un sentido instintivo de la medida, la distribución, los detalles que son importantes; puedes, entonces, trasladarte con rapidez a la superficie de la historia si es necesario, dejando de lado los diálogos machacones. Bueno, yo hablo como si supiera todo lo que hay que saber del tema, cuando de hecho acabo de empezar, y mis propias historias nunca han sido muy buenas, ¡Dios lo sabe! Pero creo que cada vez aprendo más. Cuando se escribe, uno debe ser valiente, libre y veraz. La verdad te mantiene alejado del descaro, de la ostentación (¡y cuántos americanos somos ostentosos!).

● ● ●

De la escritura de la señora B destacaría ese tono gris, aburrido, convencional. Sus heroínas tendían a ser pérfidas vampiresas. Le encantaba escribir sobre gente exóticamente perversa que vivía en apartamentos pequeños. Y creedme: se puede componer una buena historia con estos protagonistas, pero es imprescindible, para ello, que rechacemos los estereotipos. Las historias de la señora B no resultaban convincentes porque sus protagonistas eran estereotipos, y ya sabemos que éstos nunca son reales.

Si, por ejemplo, queréis que en vuestra historia haya un campesino yanqui, lo que nunca debéis hacer es describir a un personaje tan yanqui que resulte el campesino más yanqui del mundo. Si lo hacéis así, el resultado será que ningún lector dará crédito a vuestra historia ni por un instante.

En cambio, podríais hacer lo siguiente: recordad aquel encuentro que tuvisteis una vez con un campesino yanqui y, conscientemente y con detalle, describidlo; el será el protagonista de vuestro libro No importa que vuestro personaje sea calvo, vaya bien afeitado y vista trajes de ejecutivo; los lectores experimentarán que se trata realmente de un campesino yanqui y se lo creerán. Comentarán que «en el libro hay una espléndida descripción del típico campesino yanqui».

Así, cuanto más deseéis retratar a un personaje universal, con mayor minuciosidad y veracidad deberéis relatar los detalles particulares.[1]

---

1. Parece secundario que los artistas y escritores sepan esto. Sin embargo, los grandes artistas lo tienen en cuenta. Es por ello por lo que Van Gogh se lamentaba de quienes intentaban pintar un cuadro casi de memoria, haciendo una vaga generalización de todo, en vez de estudiar lo que pintaron y mostrar lo que vieron y sintieron con esa fuerza henchida de delicadeza y sinceridad. Blake escribió: «La regla de oro del arte, que también se puede aplicar a la vida, es ésta: cuanto más precisos, claros y fuertes sean los límites, más perfectas serán las creaciones artísticas; cuanto menos vivos y veraces, más evidentes será la imitación, el plagio y la torpeza. Los grandes artistas de

Le dije a la señora B que escribiese microscópicamente y con veracidad. Le pedí que describiera a alguien que conociese desde todos los ángulos: «No intente que su texto suene suave y agradable; escriba con absoluta e imparcial exactitud. Mire a la persona y diga sólo lo que ve, aunque tenga la impresión de componer un catálogo».

Siguió mi consejo, y describió a una vieja criada contando exactamente la forma de su labio superior, el color opaco y gris de sus dientes postizos, en fin, todo.

• • •

La primera vez que vino a verme para ayudarme en la casa se sentó erguida en una dura silla y me atravesó con sus penetrantes ojos negros. Su largo labio superior, sombreado por un ligero bigote, se reducía en su parte central. No sonreía con facilidad, pero de vez en cuando una curiosa contorsión fruncía su cara cetrina. Su deforme sombrero redondo caía sobre su pelo blanco. Una blusa descosida y una falda manchada cubrían su delgado y recto cuerpo con tanta firmeza como su espíritu indómito sostenía sus asombrosos años. Durante ochenta y siete años de vida espartana, evidentemente no había acumulado ni un gramo de tejido adiposo.

Aunque ante su intensa mirada, nunca me liberé de un sentimiento de culpabilidad, a medida que pasaba el tiempo me di cuenta de que yo le iba agradando un poco. Me dijo que le gustaban los hombres y que no se llevaba bien con las mujeres.

«Si tiene una buena melaza, prepararé unas galletas de jengibre», dijo un día. «A los hombres les gustan las galletas de jengibre como se hacían antes». Afortunadamente, había

_____

todos los tiempos sabían esto. Rafael, Miguel Ángel y Alberto Durero lo aplicaban a la perfección». Y también manifestó: «En los detalles curiosos y particulares se fundamenta lo sublime»; y dijo sobre las formas bonitas: «La minuciosidad es la Belleza total».

melaza de la especie que buscaba; entonces se giró y me dijo: «Ahora quiero estar sola en la cocina. Encienda el horno; lo demás corre de mi cuenta». Cerró la puerta de golpe y, cuando el aroma a especias y melaza llevaba horas esparcido por toda la casa, me aventuré a entrar en la cocina. Cada centímetro del mármol estaba repleto de gruesas galletas. Sarah estaba de pie junto a la ventana mirando hacia fuera. La expresión de su espalda me indicó que mi aparición había sido prematura, y me retiré apresuradamente.

Se mostró encantada cuando mi marido alabó sus galletas; como pretendía agradarle a toda costa, las escondió en los lugares más insospechados para que yo no pudiera cogerlas y ofrecérselas a él.

No resultaba fácil conversar con ella. Cuando lo intentaba, siempre me sentía como un caballero andante que avanzaba blandiendo la bandera de tregua. Era como una torre feudal que prohibía mi entrada, sus restringidas aperturas servían para que me alcanzaran algunos de los dardos que me enviaba.

Desde muy joven, la vida, que había pasado en su mayor parte en una granja de las pedregosas colinas de Vermont, le había enseñado a trabajar duro. A medida que transcurrían los años, Sarah se había convertido en una pequeña isla apartada del mundo por el orgullo y la pobreza, con la vista cansada, una sordera parcial, e impasible ante todo lo que giraba a su alrededor; una isla, en definitiva, que despreciaba cualquier tipo de caridad y que resistiría hasta el final logrando, de algún modo, hacer que nos sintiéramos en deuda con ella.

• • •

Esto es muy bueno. ¿Cómo me atrevo a afirmar con tal certeza (como un crítico) que es bueno? Por una razón: toda la clase se había quedado asombrada y en silencio. Mientras leía, todos escuchaban con devoción e interés inquebrantables. Parecía que habían logrado hacerse un brillante y detallado retrato mental de la vieja criada que también permaneció en mi memoria durante dos años. Todo ello indicaba que era bueno.

Así, cuando la señora B logró esa veracidad exacta como de catálogo, encontró a su verdadero yo, y a partir de entonces, comenzó a escribir bien.

Pero hay algo aún más digno de remarcarse en esta descripción de la vieja de Vermont, y es los cambios de personalidad del escritor detrás de sus palabras.[2]

Si hubierais leído los cuentos de la señora B sobre extrañas heroínas que viven en apartamentos pequeños sin conocerla a ella personalmente, hubierais llegado a la conclusión de que la escritora era una persona corriente y sin talento, sombría e incluso mezquina. Nunca la hubierais identificado como autora del texto que os acabo de presentar, porque alguien que es capaz de escribir de esta manera tiene que ser una persona cariñosa, tierna y llena de buena voluntad, con una mirada delicada, aguda y compasiva para todo. En otras palabras, en sus primeros cuentos, su deseo inconsciente de vender, de ser sofisticada y de causar buena impresión, debilitó su fuerza, por lo que los resultados fueron vulgares. Si por fin llegó a escribir con veracidad y sin pretensiones, es porque se implicó en su escritura, es decir, en su propia fuente de sabiduría, talento y sensibilidad.

Por todo ello puedo afirmar de nuevo (seguramente por centésima vez) que esta fuente se encuentra en todos vosotros y es inagotable.[3]

---

2. A esta personalidad que se halla detrás de las palabras la llamo Tercera Dimensión. Es muy importante y os daré detalles más adelante.

3. Inagotable, si no se os olvida que vuestro verdadero yo siempre está cambiando, creando nuevas cosas desde el interior. Pero si escribís algo bueno y exitoso y entonces tratáis de hacer lo siguiente igual de bien, por ejemplo, llegará un momento en que la fuente inagotable de talento se secará.

La escritura de otra mujer cambió de repente cuando le dije que tratara de ser microscópicamente verídica. Era una señora mayor, de unos sesenta años, coja, amable y delicada. Trabajaba mucho, pero no lograba escribir nada realmente bueno y vital. Finalmente le comenté:

«Describe algo tal como lo ves. No te preocupes de si resulta parcial o chapucero. Sólo observa algo y escribe lo que veas. Recuerda lo que dijo William Blake: "La perfección logra caminos rectos, pero los caminos tortuosos e imperfectos son los propios de los genios".»[4]

Esta alumna hizo lo que le indiqué. Describió una vieja casa triste y ruinosa que, a diferencia de otras historias suyas, resultó sorprendente: gráfica, intensa y melancólica. Incluso se dedicó a destacar los colores de las cosas, cuando nunca había mencionado un color en sus otros trabajos.

Le comenté lo bueno que me parecía su texto y ella me contestó:

«¡Pero es tan lúgubre! No me gusta escribir con tono pesimista.»

Entonces me di cuenta de que toda una vida simulando una alegría artificial, quizá por su cojera, la mantuvo alejada de poder escribir desde su verdadero yo. «Debo ser alegre y optimista, debo mirar el lado bueno de las cosas», se decía continuamente a sí misma.

Esta mentalización es válida, pero no a la hora de escribir. Si se trata de verdadera alegría, vale. Pero si es una alegría forzada y siempre describís las cosas como creéis que hay que hacerlo, entonces no resultará eficaz y nadie se interesará por vosotros ni os creerá.

---

4. La verdad, la vida misma, es siempre sorprendente, extraña, inesperada; sin embargo, cuando se dice la verdad todo el mundo sabe que se trata de la vida misma y no de algo inventado. En la ficción, en las películas, etcétera, todo se suaviza para que parezca plausible: los traidores son malos, los héroes espléndidos, las heroínas fascinantes, etcétera; de este modo, nadie se cree una palabra sobre ellos.

Hay quien escribe utilizando palabras largas y solemnes como «cooperación» y «coordinación», cuando su verdadero yo es divertido, chistoso y alocado. Y hay quienes se esconden detrás de un cursi, rebuscado y artificioso humor, cuando su verdadero yo es tierno, sensible, solitario y romántico.

Un joven siempre traía a clase textos vulgares sobre un hombre con el cuello grueso, llamado Gus, su esposa Edna, y sus escandalosas disputas sobre el dinero para poder comer (eructos y palillos incluidos). No resultaba nada divertido y empecé a sospechar que trataba de embaucarme. Entonces le obligué a escribir algo que saliera de sí mismo. «Intenta no esconderte de ti mismo. Me encantaría ver lo que de verdad te importa», y dijo que así lo haría.

Después de un tiempo, trajo un episodio sobre un joven que se despertaba por las noches tras un sueño desordenado e intranquilo, creyendo que su mujer se encontraba en la cama, a su lado, durmiendo tranquilamente. Entonces, de forma gradual, iba recordando: no, ella no está aquí. No hay nadie más en la cama. Hacía pocos días que había muerto. Estaba bien escrito, lleno de delicadeza, ternura y tristeza. La descripción del sueño y la lucha por recobrar el conocimiento rozaba la perfección. Su vocabulario era irreconocible, repleto de palabras escogidas con cuidado, erudición y exquisitez.

Pero, ¿cómo podemos distinguir nuestro yo verdadero cuando somos tantos «yoes»? Sí, ya sé que es difícil, y se trata de un tema que me ha causado mucha confusión, pues yo misma he creído ser personas muy diferentes: unas veces un hombre, otras, una mujer, una asesina, una madre, una señora boba, una vieja calavera, un cura, un león, una comadreja. Todas mis enseñanzas no servirían para nada si, al tratar de encontrar vuestro yo verdadero, empezaseis a solemnizar con el ceño fruncido, ansiosa y neurasténicamente: «¿Realmente estoy escribiendo desde el más verdadero de mis "yoes"?».

No debéis hacer eso. La única manera de encontrar el yo

verdadero es a través de la osadía y la libertad. Si durante un rato os sentís como un asesino, escribid como si lo fueseis. De hecho, cuando estamos furiosos tenemos un momento estupendo para escribir con inteligencia. Si os decidís, hacedlo sobre lo que os causa tanta rabia y evitad siempre los tonos literarios obedientes. «Las pasiones violentas son las que producen los matices auténticos, buenos y perfectos», dijo Blake.

Ésta es otra de las razones por las que pienso que escribir es algo magnífico. Las personas que lo hacen dejan de ignorar sus bajas pasiones, empiezan a observarlas con interés e intentan comprenderlas; de hecho, llegan a alegrarse de tenerlas porque son estas bajas pasiones las que les han proporcionado motivos para la reflexión. Hay pasiones que todo el mundo tacha de malas, como la rebeldía, la obstinación o la prodigalidad; aunque pueden resultar muy enriquecedoras.

Me he leído todo lo publicado por Chéjov. Desde mi punto de vista, es uno de los mejores autores, sus obras son magníficas, pero sus cartas, su vida, aquello que la gente recuerda de él aún es mejor. En cualquier caso, resulta consolador el hecho de que si no hubiera reconocido toda la crueldad, glotonería, cobardía y frialdad que había en sí mismo, no habría podido escribir sobre ello. Los grandes hombres sienten y conocen todo lo que pueden experimentar los hombres sencillos, incluso con mayor claridad que éstos. Sin embargo, parecen haber superado esos sentimientos negativos. Eso no significa que los sigan comprendiendo y perdonando en los demás. Sencillamente, no se dejan influir por ellos.

A través de la escritura, aprenderéis gradualmente a ser más libres y a decir lo que pensáis; descubriréis que es mejor no mentiros a vosotros mismos ni adoptar posturas falsas. Pero sólo llegaréis a encontrar vuestro yo verdadero si escribís mucho y con tenacidad.[5]

5. Lo mismo puede decirse de cualquier otro arte o de cualquier otro uso que se haga del poder creativo. Recordad siempre que por «poder creativo»

Y ¿por qué encontrarlo? Porque creo que se trata de vuestra alma inmortal; si lo dejamos en libertad y lo respetamos, seremos más felices y mejores. Recordad siempre que el verdadero yo nunca es algo fijo. No se puede decir: «Bueno, hoy por fin he encontrado a mi yo verdadero y es un tipo excelente», y no se puede decir porque el yo verdadero siempre se está moviendo, como la música, el río de la vida; cambia, cae, sufre, fracasa, aprende y vuelve a empezar. Por ello se deben cometer errores con libertad, tanto al escribir como en la vida, y olvidarlos para después volver a escribir y a vivir.

---

entiendo más que lo que las altas esferas llaman Arte. El boxeador profesional que entrena duro y utiliza su imaginación y esfuerzo para convertirse en un mejor deportista, tiene poder creativo. La mujer que hojea una revista de moda y siente ese pequeño haz de agradable energía en su interior: «Debería tener un abrigo como ése y rizarme el flequillo» y en su imaginación ve el abrigo y los rizos, y lo bonita que está, y siente una energía primaveral al tener esos pensamientos, también posee ese poder creativo. El pastelero que quiere crear un nuevo dulce también lo tiene.

Capítulo XII

El Arte es contagio

Adoro a los grandes escritores rusos, sobre todo a Tolstoi, Chéjov y Dostoievski porque sienten que la verdad es más importante que cualquier palabra rebuscada. Personalmente, no me gusta el tipo de escritura donde el envoltorio es más vistoso e importante que el contenido. Quizá sea ésta la razón de que los rusos traduzcan tan bien a palabras sus experiencias vitales: lo que les importa es lo que sienten, ven y piensan. Para ellos la vida es más importante que la literatura.

Los grandes maestros rusos son los que me convencieron de que el único modo de escribir bien y de que la gente se crea lo que contamos es desechando todo lo pretencioso y afectado. Resulta mucho más difícil de lograr de lo que pensáis, porque nuestras pretensiones son muy sutiles y profundamente subconscientes. Me gustaría comentaros lo que Chéjov dijo al respecto. Es un cuento maravilloso llamado *Una historia triste*, su héroe es un viejo y desilusionado hombre, un profesor de universidad. Esto es lo que Chéjov le hace decir:

«Los libros franceses tampoco son de mi agrado, pero no resultan tan pesados como los rusos; es corriente encontrar en ellos el elemento más importante de la creación artística: el sentimiento de libertad personal que no se halla en los autores rusos. No recuerdo ni un solo libro nuevo en el que el autor no intente, desde la primera página, enredarse con todo tipo de condicionamientos y compromisos con su conciencia. Uno tiene miedo de hablar de un cuerpo desnudo; otro se parapeta detrás de un análisis psicológico; un tercero muestra una «actitud afectuosa hacia el hombre»; otro se resigna a ser un hombre mediocre en su trabajo, y así sucesivamente... Todo ello es deliberado, prudente y voluntario, pero carecen de independencia para escribir lo que les gusta. Por lo tanto, no hay creatividad.»

Cuando escribáis debéis sentiros libres. Tenéis que desenmarañar vuestros «debo». Es preciso que desconectéis y dejéis a un lado todo lo que estorba: las cargas, las obligaciones, todos los quehaceres. Podéis escribir tan mal como queráis. Podéis escribir *cualquier cosa* que os apetezca —una poesía, una tragedia o una breve historia vulgar—. El caso es que la escribáis con sinceridad y ganas; no intentéis, pues, que nadie crea que sois más mordaces de lo que realmente sois, porque entonces todo el mundo mirará vuestro trabajo con lupa y, en el fondo, creerá que lo que queréis es vanagloriaros. (Recordad esto: cuanto menos brillante sea vuestra escritura, más grandes seréis y más interesante podrá resultar la personalidad que se oculta tras el papel.)

Cuando escribáis, pues, no os dejéis bloquear por muchos «debo»:[1] *debo* ser más divertido, más progresista, debo parecerme más a Ernest Hemingway, debo mostrarme más mordaz. Lo estropearéis porque no resultará vivo, sincero.

1. Me refiero ahora a nuestros primeros borradores. Además, no penséis que escribir no es un trabajo; vuestra novela puede llevaros once años, como le sucedió a Tolstoi con *Guerra y Paz*. Puede suceder que queráis reescribir vuestra obra, pues veis a los personajes con más claridad en vuestra imaginación, o simplemente pulirla, haciéndola más creíble y eliminando vocabulario superfluo, resolviendo lo ficticio y lo afectado. Y recordad que una buena novela u obra de teatro es como un iceberg. Algunos se ven, pero muchos otros no. Alguien le preguntó a Ibsen en una ocasión cómo se le ocurrió

Cuando comento los textos de mis alumnos en clase, sé que en algunos casos podría decir: «Esta frase es preciosa porque querías decir esto precisamente. Ésta no vale nada. Intentabas agradar al profesor, es falsa. Escribid siempre lo que penséis».

En otras palabras, no escribáis como lo haría un publicista. A menudo he pensado en los billones de dólares que este país se gasta en publicidad. Las agencias contratan a los jóvenes más perspicaces para que escriban eslóganes ingeniosos. Pero sus frases tienen un nulo valor literario. ¿Por qué? Porque sus autores no las sienten interiormente. Todo está escrito, pero no porque el escritor experimente algo y luego lo exprese. Su único objetivo es tratar de impresionar y persuadir a la gente de algo que ni ellos mismos se creen.

Un artesano encarcelado llamado Bunyan[2] describía un objeto con sólo un pequeño número de palabras. John Keats escribía con un número de palabras mucho mayor. Pero ambos son grandes literatos porque reflexionaron sobre las cosas de las que iban a escribir y luego las contaron del modo más sincero y fiel del que fueron capaces.

A mí me ayudó mucho algo que Tolstoi decía sobre el hecho de escribir. Aquí lo detallo porque quizá pueda serviros de ayuda.[3] Primero, afirmó que en el mundo todo se podía

---

ponerle el nombre de Nora a la protagonista de *Casa de Muñecas*, y respondió: «Bien, su verdadero nombre era Eleanora, pero la llamaban Nora desde pequeña». Ya veis, él conocía toda su existencia, cualquier detalle sobre ella, desde la más temprana infancia, si bien en la obra sólo se cuentan unas pocas horas de su vida. Pero en principio, crear una historia *sé* que nos hace sentir libres. La experiencia de pulir ese trabajo será diferente para cada uno, y la iremos adquiriendo a medida que vayamos trabajando.

2. Todos los presos deberían escribir. Sería positivo para ellos y para nosotros. Algunas de las mejores obras de la literatura han sido escritas por presos, entre ellos Sir Walter Raleigh, Bunyan y Dostoievski. Creo que los reclusos sufren, se sienten solos y tienen mucho que contar. Sus anhelos y sus poderes creativos se demuestran con el hecho de que hay una mayor demanda de libros dentro de las cárceles que fuera. Esto lo sé por un bibliotecario.

3. Por supuesto, si vuestro impulso creativo, vuestro yo verdadero, os dice que escribáis de manera compleja y elaborada, entonces debéis hacerlo.

expresar de modo que un joven de quince años lo comprendiera a la perfección. A menudo pienso en ello y me resulta una guía de gran ayuda. Tomo un libro de Tolstoi y veo que hace lo que predica.

Después, en un famoso ensayo llamado: «¿Qué es el Arte?» (que no agradó a mucha gente), dijo algo parecido a esto: el arte es contagio. El artista siente y expresa algo y a la vez sus sentimientos contagian a otras personas, que pasan a sentirse del mismo modo. El contagio deberá ser *inmediato* o no será Arte. Si intentáis analizar un cuadro o un libro que os guste leyendo muchas críticas eruditas sobre el tema para poder decir al final: «Sí. Creo que empiezo a comprenderlo y a ver que es espléndido», entonces no se trata de Arte.[4]

Tolstoi afirmó lo siguiente: «El objetivo del Arte radica en hacer comprensible, en forma de razonamiento, lo incomprensible e inaccesible.

»Ésta ha sido siempre la naturaleza del Arte supremo. *La Ilíada*, *La Odisea*... los profetas hebreos, las parábolas del Evangelio y los himnos de los Vedas: todos transmiten sentimientos muy elevados y, sin embargo, son comprensibles tanto para la gente culta como para la más sencilla, pues se escribieron para que resultaran claros a los hombres de la Edad Antigua, aún menos cultivados que nuestros labriegos.

»El obstáculo para entender los mejores y más elevados sentimientos (como dice el Evangelio) no reside en una deficiencia en el desarrollo o en el aprendizaje.[5] Una buena y

---

4. Aunque puede ser Arte para otros que lo ven como un contagio inmediato.

5. Blake dijo al respecto: «Jesús supuso que todo era evidente a los niños, a los pobres y a los ignorantes. Así es el Evangelio. Toda la Biblia está repleta de imaginación y de apariciones de principio a fin y no de virtudes morales. Las virtudes morales son acusaciones continuas de pecado y promueven las guerras perpetuas y la dominación sobre otros». Creo que él quería decir que las virtudes morales suponen lo que es bueno para las personas, mientras que Jesús con su amor e imaginación creía que cada uno debía crecer libremente y siguiendo su camino.

sublime obra de arte puede resultar incomprensible para los intelectuales y clara para personas menos cultivadas,[6] (todo lo elevado resulta fácil). Por ejemplo, conozco a gente que se considera muy refinada, que dice no entender los poemas que hablan del amor, de la castidad o del sacrificio. Así, este Arte Universal puede resultar incomprensible para un reducido círculo de gente pedante, pero no para un amplio número de gente sencilla.»

Tolstoi decía que el Arte Supremo surge cuando un gran hombre con una elevada concepción de la vida de su época expresa lo que siente. (El mismo Tolstoi fue uno de ellos aunque nunca lo supo.) Entonces, el contagio es universal y todo el mundo lo entiende a la primera.[7]

Pero Tolstoi también afirmó que además del verdadero Arte, existe una gran cantidad de imitación y pseudoarte. Esto ocurre porque hay mucha gente rica aburrida, que quiere entretenerse y pagan a los artistas para que los diviertan «haciendo Arte» para ellos. Sin embargo, ya que el Arte debe ser un sentimiento verdadero y no algo provocado, ya que debe gestarse espontáneamente en el propio seno del artista, surge mucho pseudoarte falto de ingenio. Un tipo de pseudoarte es el que pretende resultar de difícil comprensión, sutil y complejo, de modo que sólo un reducido número de personas muy cultas y exclusivas puedan entenderlo.

Y aquí es donde aparecen los críticos para explicar ese arte. Tolstoi dijo de los mismos que se trataba de gente especialmente incapaz de reconocer el Arte porque «eran eruditos, es decir, pervertidos, a la vez que individuos de gran autoconfianza». Toda esa erudición, razonamientos y com-

---

6. Blake: «Quien no conoce la Verdad a primera vista no es digno de Ella».
7. Creo que Blake también quería decir esto cuando llamaba artista a Jesús.

paraciones los estropea, los vuelve opacos y atrofiados, pues no les permite «sentir» con la inmediatez del niño, de la gente sencilla o de los poetas.

Por esta razón, «los críticos siempre han sido hombres menos susceptibles al contagio del Arte que los demás». Tolstoi afirma que esto se puede ver en el hecho de que intentan explicar e interpretar, cuando tanto Arte como artista son conceptos no interpretables o explicables con palabras, porque «contagian».

Tolstoi habla de otro tipo de pseudoarte. Digamos que un libro os contagia y pensáis: «Estos hechos tan conmovedores los incluiré también en mi obra». No se puede conmover a la gente a través de un contagio de segunda mano.

El prestigioso autor también escribió: «Hace unos cuarenta años, una estúpida mujer, aunque muy culta, me pidió que escuchara una novela escrita por ella. Comenzaba con una heroína que llevaba un poético vestido y el pelo ondulado y que leía poesía cerca de algún riachuelo de un poético bosque. La poética escena sucedía en Rusia. De repente, el héroe, que llevaba un sombrero a lo Guillermo Tell (el libro menciona con especial interés este punto), apareció tras unos matorrales, acompañado por dos perros poéticamente blancos... Pero tan pronto como el caballero empieza a hablar con la virginal mujer vestida de blanco, se hizo obvio que la autora no tenía nada que decir, sino que se había conmovido por unos recuerdos poéticos de otros trabajos.

»Sólo se recibe una impresión o contagio artístico si el autor experimenta, de un modo verdadero, los sentimientos que transmite, y no cuando copia los de otra persona que previamente se los ha transmitido a él.»

Cuando leí este comentario de Tolstoi, al instante me pareció un descubrimiento. Aunque quizá no me hubiera llamado tanto la atención si no hubiera sido por mi clase. En sus escritos pude comprobar que cuando una frase sale del verdadero yo y así se experimenta, resulta buena, viva y contagiosa, sin importar las palabras que se digan o la gramaticalidad de las mismas. Pero cuando el escritor no siente la frase, no hay nada que hacer: el contagio no se produce.

Esta observación me ayudó muchísimo, porque me enseñó que no existe razón alguna para intentar construir experiencias artificiales escribiendo algo que no se siente, pues no interesarán ni «contagiarán» a nadie. Como comenté en mi clase, no debéis pensar en un sentimiento como en algo necesariamente violento y terrorífico. El aburrimiento, el hastío, la ensoñación y la rabia también lo son.

Por lo tanto, si a partir de ahora deseáis escribir sobre un hombre que se aburre, describid[8] tranquilamente qué habéis sentido vosotros al estar aburridos. Esto es todo lo que tenéis que hacer. No tratéis de decir que el aburrimiento era «angustioso y atroz» a no ser que así lo hayáis experimentado, cosa que dudo.

Para contagiar y convencer a vuestros lectores haced una buena descripción que suene a verdad, eso es todo.

---

8. Cuanta más delicadeza haya en vuestras percepciones del aburrimiento, mejor conseguiréis plasmarlo en el papel. Pero no olvidéis que vuestra manera libre e impulsiva de contar las cosas será mejor, más verdadera y cercana a la realidad que la que está basada en la planificación y en la invención.

Capítulo XIII

La Tercera Dimensión

Si escribís relatos, nunca seáis el consejero de vuestros personajes. No digáis: «Qué heroína tan fascinante y adorable, qué héroe tan bueno y valiente...»

Ello está bien sólo si resulta eficaz. El problema es que cuanto más intentéis «afirmar» que vuestra heroína es maravillosa, más lo pondrán en duda vuestros lectores. Ellos saben que de algún modo mentís, que no la percibís claramente en vuestra imaginación como una persona real, viva, sino que los engañáis y sólo hacéis propaganda de ella. Y cuanto más describáis sus adorables rasgos, más experimentarán el desagradable sentimiento de que el escritor es un pedante. En *Los poseídos*, Dostoievski describe a uno de sus personajes, que es un escritor famoso, del siguiente modo:

«Detalló el naufragio de un buque de vapor que había presenciado, cerca de la costa: los cuerpos de la gente que se hundía y los cadáveres que subían a flote.» Todo el artículo fue escrito con la única intención de exhibirse. Uno parece leer entre líneas: «Concentraos en mí. Contemplad cómo estaba en esos momentos ante la vista del mar, la tormenta, las rocas, los espigones, las astillas del barco naufragado. Os he descrito todo esto con mi poderosa pluma. ¿Por qué miráis a esa mujer que se está ahogando con el niño muerto en sus brazos? Mejor miradme a "mí", y a mi incapacidad para conmoverme al presenciar tanto dolor. Me quedé de pie, di la espalda al espectáculo aterrorizado, incapaz de volver a mirar y cerré los ojos. ¿No resulta interesante?»

A menudo mis propias historias me han dejado preocupada, especialmente aquellas en las que intentaba hacer Arte puro, serio e intransigente.[1] Todos los personajes parecían ser «yo» y podría leerse así:

«Te amo», le dijo Brenda Ueland a Brenda Ueland.

«Yo también te amo», contestó tímidamente Brenda con una sincera mirada en su preciosa cara.

En las revistas he leído muchos relatos como éste. El autor, a veces, necesita ser un individuo presuntuoso, aunque a menudo se muestre amable. Creo que esto sucede porque hay escritores que no plasman la verdad de forma objetiva, sino que intentan demostrar, sin franqueza, al lector que sus personajes son espléndidos. Entonces se trata de propaganda y publicidad, no de la verdad.

Los personajes deberán surgir de vuestra imaginación llenos de vida, para después, con objetividad y detalle, decir cómo son y qué hacen. Si resultan fascinantes ya se verá. Pero siempre intentad escribir con sinceridad. Si queréis decir que el fascismo es terrible, no escribáis una novela que lo demuestre, pues los lectores dirán: «En este libro no hay gente real, sino unos tipos que conversan y a los que se les fuerza a demostrar que el fascismo es terrible».

En este caso, en vez de la novela, resultaría más eficaz escribir un manifiesto, firme y claro, que explicara por qué el fascismo es terrible. Chéjov decía que en la ficción se puede

---

1. Por esta razón no debéis ser demasiado honestos y sinceros a la hora de escribir, pues ello también constituye un tipo de falsedad. Cuando eres sincero no haces ningún *intento*. Simplemente, debéis ser lo bastante sinceros y nada más.

formular una pregunta (sobre la pobreza, la moralidad, etcétera) pero nunca debe contestarse. En cuanto lo hagáis, los lectores sabrán que estáis mintiendo, es decir, forzando a vuestros personajes a demostrar algo.

Podríais afirmar que los maestros rusos hacían propaganda en sus novelas y que no ha habido escritores en el mundo tan eficaces al respecto. Yo os contestaré que no lo hacían para que sus personajes ilustraran una teoría social. No. Esos escritores, con su honestidad y clara visión, simplemente se dieron cuenta de lo que le ocurría a la gente y lo contaron. Y libros como *Resurrección*, *Los hermanos Karamazov* o los *Cuentos* de Chéjov resultaron tan grandes e inolvidables porque los lectores lograron sentir:

«Esta gente existe. Nunca los olvidaré. Y el autor de este libro, este gran hombre sabio y comprensivo, incapaz de mentirse a sí mismo o a nadie, ve la vida de este modo y no nos cuenta de forma didáctica o con tristeza, como lo haría alguien culto y pesimista, lo diferente que debería ser, sino que podemos sentir lo mismo que debió de sentir él en cada frase.»

A cada párrafo que leo, dejando de lado el horror, la maldad y la miseria que una obra maestra pueda relatar, me siento agradecida y esperanzada (de verdad que no puedo leer a Chéjov o a Tolstoi sin que se me haga un nudo en la garganta) y me digo: por lo menos, en el mundo ha vivido un gran hombre como este escritor, demasiado grande para ser pedante, demasiado amable para resultar satírico.

Un escritor corriente puede mostrarnos la pobreza a través de ciertos detalles. Los textos de ese escritor se leerán con un toque de interés mórbido y quizá cierto disgusto, pero sin causarnos mayor impresión. Lo que le interesa, en realidad, no es la pobreza; no provoca en nosotros ningún tipo de preocupación o angustia que nos haga reaccionar para que todo sea diferente a partir de su lectura.

«Este escritor», lo sabréis reconocer cuando leáis sus textos «está más preocupado por escribir "realismo puro" que pobreza. Dice "puta" muchas veces para mostrarnos que no tiene pelos en la lengua y que no es un individuo remilgado.»

Pero como no posee verdaderos sentimientos sobre la pobreza, o sea, no tiene nada que ofrecer, tampoco el lector logra experimentar nada. No hay contagio.

Chéjov escribió esta carta a su hermano:

«Sólo tienes un defecto: tu extraordinaria falta de educación. En mi opinión, una persona educada debe cumplir las siguientes condiciones:

1. Respetar la personalidad del hombre y, por lo tanto, ser tolerante, cortés y flexible. No hacer una montaña de una pequeña cosa. Vivir con los demás sin hacer que éstos se sientan obligados hacia él, y cuando los demás se vayan, no decir «es imposible vivir con ellos». Excusar el ruido, el frío, los chistes y la presencia de otros en su casa...

2. Ser compasivo, pero no sólo con pedigüeños y gatos; afligirse por lo que el ojo no ve pero el alma intuye. Trabajar por las noches para ayudar a sus padres a pagar los estudios de los hermanos. Comprar vestidos a su madre.

3. Respetar las posesiones de otras personas y pagar las deudas.

4. Ser puros de corazón y temer la mentira como se teme al fuego. Una mentira es humillante para el que la escucha y envilece al que la dice. No lucirse, y actuar en público igual que se haría en privado. No conversar cuando no se es preguntado, permanecer a menudo en silencio, por respeto a los demás.

5. No despreciarse a sí mismo para que los demás se compadezcan. No decir «La gente no me comprende» porque produce un efecto mezquino, suena a falso y es vulgar.

6. No vanagloriarse. No preocuparse por cosas banales como el trato con celebridades; dar la mano también al borracho y al mendigo.»

Sólo con estas líneas (aunque en ningún momento Chéjov habla de sí mismo) podemos saberlo todo de él; no necesitaréis leer su biografía. De hecho, comprendemos que se trata de él a partir del fragmento que dice: «Ser compasivo, pero no sólo con pedigüeños y gatos; afligirse por lo que el ojo no ve».

La personalidad que hay detrás del escritor es muy importante; eso es lo que yo llamo «Tercera Dimensión». Sobre el papel puede haber todo tipo de palabras y frases escritas con esmero. Se puede ser completamente objetivo, de forma que, aparentemente, el «yo» que escribe no salga a la luz ni una sola vez. Pero detrás de palabras y frases se encuentra ese algo profundo, conmovedor e importante: la personalidad del escritor. Y cualquiera que ésta sea, brillará a través de la escritura y la volverá noble, grande, afectuosa, fría, miserable, arrogante, o lo que el escritor sea.

Las palabras escritas pueden ser opulentas, cultas e ingeniosas como las de Skakespeare. Si la personalidad del que escribe es displicente o fría, las palabras y frases escritas sonarán triviales, incultas y vulgares. Si la «Tercera Dimensión», o sea, la personalidad del escritor, posee algo bueno, lo apreciaréis incluso en sus palabras más tendenciosas.

A mi clase asistía una joven empleada de hogar. Su aspecto era enfermizo, estaba pálida, llevaba gafas y tenía los dientes feos. Se excusó con timidez por no venir a clase más a menudo y por no traer más relatos, pero no era del agrado de su señora que saliera por las tardes.

En dos ocasiones me envió por correo en pequeños trozos de papel algo escrito con lápiz. A continuación os mostraré uno de ellos.

¡CORRE, CORRE!
Por la señorita Lee Frisbie

Voy corriendo por la cocina para preparar la cena, servirla, esperar el café y hacer las numerosas tareas que deben terminarse. Después se amontonan los platos; ordenar la cocina y averiguar qué hora puede ser. Sólo son las nueve, después de un día de trabajo tan duro, las nueve deberían haber sonado hace una hora. ¡Corre, corre! Cuando corres tanto ya no puedes correr más... He oído tantas veces estas palabras que me resultan aburridas.

La verdad es que me gustaría ir paseando hacia la ciudad tranquilamente y oír las palabras «¡despacio, despacio!» en mis oídos en vez del «¡corre, corre!» No gastaría nada, sólo me dedicaría a mirar escaparates.

* * *

Como podéis ver, sólo escribió precipitadamente algunas frases que sintió en su alma y yo logré experimentar lo que ella intentaba decir. Estaba contagiada. Si admitimos el criterio de Tolstoi, se trata de Arte. Y yo también lo pienso. Creo que es bonito y mucho mejor que la mayoría de los poemas que se publican en las revistas y que hablan de temas similares. Pude sentir cómo vivía la chica. Supe cómo era toda su vida. Me sentí mucho más conmovida por la situación de las empleadas de hogar que por los amargos e incisivos artículos de los progresistas, o los profundos estudios de sociólogos. Me enfureció sobremanera el hecho de que en nuestro sistema personas tan amables y pacientes dediquen dieciséis horas de su tiempo a alguien por cuatro o cinco dólares a la semana, y que todos lo encuentren bien. No sólo me conmovió, sino que me cambió totalmente. A partir de entonces me propuse no explotar nunca a un empleado.

Por lo tanto, creo que este pequeño párrafo sin puntuar

es un poema, es Arte. Dostoievski también lo pensaría. Sólo tenéis que leer su gran novela *Pobres gentes* para apreciarlo.

Por eso he llegado a la conclusión de que el único modo de llegar a ser mejor escritor es conseguir ser mejor persona. Y por mejor no quiero decir más bondadosa. He llegado a pensar que hay una cierta ironía en la vida de los escritores que siempre permanecen sentados en sus despachos, protegidos de cualquier peligro o incomodidad, para lograr un mejor estilo literario.

Tolstoi, Ibsen, Blake, Goethe, Thomas Mann y todos los grandes hombres, conocidos o desconocidos, son grandes ante todo y, en consecuencia, no dedicarán ni una sola palabra a contar nada irrelevante. Su escritura, su Arte, es simplemente producto de la creatividad de una gran personalidad. Pienso que todos, mayores y pequeños, deberíamos estar creando todo el tiempo, olvidándonos de nuestros trabajos pasados y mirando siempre hacia delante. Sólo a través de nuestras creaciones seremos capaces de ver cómo es nuestra alma y entonces, con nuestra imaginación, podremos intentar ser mejores.

Últimamente he releído *Resurrección,* de Tolstoi, y a los grandes autores rusos. Cada palabra es misteriosa, autobiográfica y verdadera, aunque escriban sobre gente repulsiva, a quienes seguro que conocen a fondo. Y, sin embargo, no encuentro nada censurable o canallesco, como me sucede con otros autores que describen la vida de la gente en sus libros. ¿Por qué? Porque Tolstoi, Chéjov, Dostoievski y Gorki eran gente auténtica que nunca se dejaría influir. Si te muestras íntegro al escribir sobre personajes malvados, en vez de superior y mezquino, incluso la gente mezquina te lo agradecerá. Nunca me ofendería ser descrita por Chéjov, aun cuando la descripción resultara repulsiva; por el contrario, intentaría ser mejor. Pero si lo hicieran Sinclair Lewis o H. L. Menken, los demandaría por difamación.

Por ejemplo, T. E. Lawrence escribió *Los siete pilares de la sabiduría.* Es el trabajo de un genio. Durante mucho tiempo, ha pasado desapercibida la belleza de sus escritos en inglés. Pienso que es a causa de la «Tercera Dimensión», la gran personalidad que hay «detrás» de Lawrence. En vez de haber vivido una vida tranquila, dedicada sólo a la literatura, cultivando la prosa y el estilo rebuscado, vivió una vida llena de sufrimiento y con un sentido extraordinario del honor. Su libro está mejor escrito que los de los escritores de hace un siglo.

Lawrence me parece un inglés del Renacimiento y su escritura posee la misma calidad. Mi teoría al respecto es la siguiente: en el Renacimiento, la gente creía que la personalidad era lo más importante y no las ideas o trabajos del hombre. Éste debía ser lo que denominaban «el hombre universal», un hombre completo. Es decir, se suponía que un hombre de acción también tenía alma, era tierno, delicado, con sensibilidad estética, hermoso, capaz de escribir poesía, componer música y pintar. Un erudito o filósofo no podía dedicarse sólo a estudiar y a pronunciar profundos discursos, sino que también debía tener un aspecto atlético y ser valiente como un soldado. En aquella época, la mujer debía ser culta y bella (ambas cosas a la vez y no sólo una de ellas).[2]

Sin embargo, ahora decimos de los hombres: «No debéis tener en cuenta su personalidad, sino sus ideas».

Creo, como Sócrates, Miguel Ángel y otros muchos, que las ideas de una personalidad poco sincera no son buenas, sino corruptas. Y lo más importante de todo: si alguien tiene buenas ideas, pero él, como persona, no es bueno, no se producirá el contagio. Nadie se sentirá atraído por las mismas, ni mucho menos se sentirá empujado a cambiar.

---

2. Aunque creo que las mujeres, para ser físicamente completas, también deben ser fuertes y ágiles.

Capítulo XIV

Conserva un diario desordenado,
espontáneo y honesto

Os voy a explicar una verdad incuestionable: todo lo que escribáis[1] revelará vuestra personalidad, y todo lo que seáis se verá en vuestra escritura.

Lo mismo ocurre con la pintura. Ya lo dijo hace muchos años Leonardo da Vinci quien afirmó que el alma de un hombre (intensamente creativo) queda reflejada en sus obras, del mismo modo que si un pintor pinta un retrato, siempre se parecerá tanto a él como al modelo. Para comprobarlo comprad unas pinturas y dibujad algo: ya lo veréis.

Asistía a clase una mujer joven, con un espeso y brillante cabello largo, claros y penetrantes ojos verdes, voz profunda y volátil y risa de barítono. Vestía ropa elegante y su mirada era tan gallarda como la de un cosaco.

En su primer intento escribió esto:

«Estaba sentada en el coche, al lado de él.

—Por vacaciones, cuando el colegio se queda vacío —le dijo—, mi padre nos trae a la casa de campo.

—¿Cómo es que le han instalado en Sand Lake? —le preguntó.

---

1. Me refiero a cuando aprendáis a escribir libremente y con la verdad por delante, y no como los profesores os dicen que debéis hacerlo.

—Con la llegada del New Deal —explicó él—, me alisté en trabajos de conservación y después de años y años en el Servicio Forestal de Estados Unidos me nombraron superintendente de campo.

—¡Qué maravilla! —dijo elogiosamente—. Cuénteme más cosas sobre el campamento —le pidió—. ¿Qué otras actividades hay además de las de rutina?

—De vez en cuando —le informó—, celebramos espectáculos diferentes patrocinados por organizaciones cívicas —y añadió—: Pronto organizaremos un festival con baile. ¿Le gustaría venir?

Sus ojos negros brillaron mientras respondía, entusiasmada:

—¡Oh, gracias, me encantaría!

Kemp se alegró. Le gustaba esa jovencita fresca y saludable.

Estaban cerca de la ciudad donde vivían los Cardoso y condujo el coche alrededor de la calle donde se encontraba la casa de Addie. Se detuvo enfrente de la misma y ayudó a sacar las maletas.

Una y otra vez el excitado grupo daba las gracias a su salvador. Éste les sonreía ampliamente. Sus dientes blancos contrastaban con su tez morena.[2]

Addie se giró saludándole mientras se marchaba y sintió en su corazón que ella y ese agradable compañero iban a pasar juntos muchos días felices.»

Pues bien: sólo con mirarla, supe que su escritura *podía ser mejor*. Al hacerlo me di cuenta de que era buena porque su personaje se parecía a ella: una chica alegre y guapa de complexión vital. De hecho, cuando acabé de leer el relato

---

2. Le dije que era un bonito texto. Algo me decía que ella realmente veía a sus personajes cuando describía la escena. Podía observar los rasgos físicos más característicos en los demás y describirlos en una sola frase.

en voz alta, me di cuenta de que ella lo había pasado mal, pues lo había escrito en serio, con el propósito de lograr una historia interesante desde el punto de vista literario.

Con el tiempo, logró escribir tan bien como yo esperaba de ella. En el papel había más de su verdadero yo. Si queréis escribir la verdad, lo que sentís, y contarlo de un modo directo, apartando cualquier tipo de circunspecciones o de intencionalidad,[3] narrad veinte historias más y escribid un auténtico, desordenado, impulsivo y sincero diario. Si lo hacéis así durante todos los días de vuestra vida, con el tiempo escribiréis desde vuestro yo verdadero no sólo en vuestras cartas y diarios, sino también en la ficción. «Una mentira es incluso más molesta en una historia que en una conversación», decía Chéjov.

Quizás os pueda explicar crudamente lo que esto quiere decir.

En cierta ocasión, una de mis alumnas describió a un hombre joven, su héroe, diciendo: «Sus músculos se hinchaban en su espalda».

Me volví hacia ella y le dije:

«¿Estás segura de que se hinchaban? A menudo lo hacen en la ficción, pero ¿lo has visto alguna vez? ¿Puedes decirme cómo es?»

Y dijo sinceramente:

«Sí. Puedo. Y se hinchaban. Sus hombros eran muy grandes y parecía que iban a explotar a través de las costuras del abrigo.»

«Bueno», dije, «escribe lo que me acabas de contar. Es una espléndida y detallada descripción gráfica.»

Cuando en la ficción decís: «inclinó su cabeza avergonzado» o «apretó la silla hasta que sus nudillos se volvieron blancos», no parece real. Cuando escribáis cosas de este tipo

---

3. Pensamos que los hipócritas pretenden ser como palomitas. Pero ellos también pueden ser águilas y leones.

sobre un personaje, preguntaos: «¿De verdad hizo esto? ¿He visto a alguien de este modo? Si es así y, en efecto, veis a este personaje, hacedlo: escribidlo. Si hay sinceridad en vuestra percepción, sonará bien.

Cuando hayáis escrito una historia y, pasado un tiempo, deseéis escribirla de nuevo para que resulte más veraz, no utilicéis palabras «mejores», sólo intentad ver mejor a la gente, porque todavía no la habéis imaginado con la suficiente profundidad. Ved lo que hicieron, cómo eran y cómo sentían. Entonces, escribid. Cuando por fin podáis verlos con claridad, escribir os resultará fácil.

Lo más importante es que vosotros descubráis «la verdad». Insisto en lo de «vosotros». No importan los sobresaliente que hayáis obtenido en la asignatura de lengua; os enfrentáis a una larga y dura disciplina que exige introspección. Dostoievski dijo que el modo de salir con éxito de la prueba pasa por no mentirnos nunca a nosotros mismos. ¿Qué es lo que de verdad amamos y nos preocupa? ¿Quiénes somos? Una de las peores mentiras que la gente se dice a sí misma es que no tienen talento ni nada importante que decir.

No temáis escribir malos relatos, pues os enseñarán muchas cosas de vosotros mismos, de vuestra visión de las cosas, de vuestro gusto y de lo que de verdad os preocupa. Si escribís una mala historia, la manera de mejorarla será escribiendo tres más. Cuando las comparéis con la primera os daréis cuenta de que habéis crecido en conocimiento y sinceridad.

Por eso creo que es bueno escribir un diario. No me refiero, por supuesto, a un diario de vuestros quehaceres, sino a que reflejéis cada día, o lo más a menudo posible, espontáneamente, vuestros pensamientos, o lo que hayáis sentido y visto el día anterior. Releedlo al cabo de seis meses. Tendréis un cajón lleno de papeles y allí donde hayáis escrito con mayor libertad, habrá vitalidad y belleza.

Si sois descuidadas y escribís en trozos de papel lo más

rápido posible, no tendréis tiempo de resultar aburridas. El secreto de ser interesante es moverse con tanta rapidez como la mente del lector. Autor y destinatario deben caminar juntos, mantener el mismo *tempo*. Por eso es bueno leer en voz alta lo que escribís y cuando vuestra voz vaya agotándose, cortar por lo sano.

Ocurre como cuando escucháis a un político:

«Sí, sí», pensáis impacientemente a medida que su voz os machaca, «la democracia», ya sé de lo que me hablas y también hacia dónde me quieres llevar. Dentro de quince minutos, dirás que la democracia es buena.

Poco a poco dejaréis de escuchar esa martilleante voz llena de elocuencia, pues el interés que suscita en vosotros el conferenciante es artificial, y os pondréis a pensar en otras cosas bostezando y deseando que se acabe.

Sin embargo, cuando os interesa una conferencia o un escrito, no os perdéis ni un solo segundo y esperáis cada frase y nueva idea con avidez.

Cuando hace unos años estaba en la plantilla de una revista y me ponía a trabajar en un artículo, escribía laboriosamente diez o doce páginas. Me di cuenta de que sólo había explicado elaborada y pulidamente lo que otros ya sabían. Entonces, con un suspiro, como queriéndome desembarazar de un gran peso, me dije enfadada conmigo misma:

«A ver, ¿qué demonios quieres decir?»

«Esas mujeres están demasiado gordas», me contestó mi verdadero yo[4] de inmediato. «Entonces escríbelo». Y así lo hice, con un resultado excelente.

---

4. El verdadero yo es realmente la conciencia (o inspiración divina). Tu razón puede debatir o argumentar algo contigo: «Por una parte, si hago esto será bueno y constituirá una ayuda en el largo camino. Me dicen que es algo natural, y puede que realmente necesite hacer esto en mi vida», etcétera. Pero al final tú le preguntas a la conciencia lo siguiente: «¿Qué puedo hacer?» «Vete a casa y métete en la cama», te dice rápida como un disparo. Pero recuerda que no me refiero a la conciencia moral o convencional, o a la «pequeña voz que te dice lo que los demás harían». Ese tipo de conciencia te

Si en vuestro diario escribís rápido, como si vomitarais vuestros pensamientos sobre el papel,[5] hablaréis sólo de los asuntos que os interesan. Saltaréis de un punto a otro, dejando de lado explicaciones sobrecargadas.

Si dudáis u os aburrís al escribir una sola palabra, frase o página, no continuéis: algo no funciona. Vuestro verdadero «yo» no está hablando. Si lo que estáis escribiendo os aburre a vosotros, también aburrirá a los demás.

Yo he guardado este desordenado e irreflexivo diario, aunque sincero, durante muchos años. He continuado escribiendo en él a veces con gran detalle y exactitud. Revelo cosas terribles de mí misma (que ni yo sabía) así como cosas estupendas. Me ha servido de gran ayuda, y me ha enseñado que escribir es como pensar, hablar con el papel. Cuanto más impulsiva e inmediata es la escritura, más próxima se halla al pensamiento.

Durante años, consideré que la escritura de este diario era una de las cosas más aburridas y espantosas que nunca hice (pensamiento que he mantenido sin duda y con un ego decidido), pero ahora creo que me ha enseñado mucho acerca de lo que soy, de lo que debo dejar de lado y de lo que tengo que respetar y querer de mi persona.

A continuación citaré literalmente algunas notas de ese diario: quiero enseñaros que las cosas escritas en cinco minutos son interesantes y buenas. Puedo escribir a máquina casi tan rápido como pienso, y esto también ayuda: hace posible que surja a la superficie el pensamiento involuntario.

He aquí las partes más interesantes de mi diario. Hay mucha paja (sobre mis digestiones, sobre largas y pesadas

---

diría que fueras un ciudadano sumiso y cumplidor padre de familia, mientras que tu verdadera conciencia te diría que te dedicaras, por ejemplo a viajar, que sólo en eso está la verdad y una vida más intrépida y grande.

5. Éste es un recurso que os ayudará a encontrar vuestro verdadero yo. Cuando veáis lo llenos de talento que estáis, podréis escribir tan despacio como queráis.

luchas anímicas, que incluso me siguen cansando ahora). Sí, hay material de autoobservación muy aburrido. Pero esto es lo bueno de un diario, y ahora ya no me importa tanto volver a leerlo, a pesar de la combinación de párrafos insípidos con otros más brillantes.

Miércoles, 6 de febrero de 1936

La Universidad. La señorita N, esa pobre y estúpida intelectual. Tanto la señora G como yo no soportamos oírla hablar; tampoco gusta a los chicos del Medio Oeste... «ya sabes, como una especie de soldado o una letrina...» Mientras habla, enseña sus largas manos con uñas cilíndricas media pulgada más largas que los dedos afilados, las desliza por el grasiento cuello del vestido azul oscuro. Cuando se pone de pie se estira la falda. Su cabello desciende por el cuello y en la cabeza lleva adornos pringosos. Una bonita cara de belleza victoriana, blancos dientes y suaves ojos grises. El busto, caído; el cuello largo, y un cuerpo que se va estrechando en la cintura como si fuera una botella. Piernas gordas y pies con zapatos de tacón que caminan galopando.

15 de marzo de 1935

Ayer me fui a pasear antes de cenar (debo hacerlo cada día. Andar cuando uno se siente vacío, hambriento y ágil es toda una experiencia: se puede escuchar el viento con esa sensación de «ser» transparente y translúcido). He mantenido discusiones interesantes sobre temas religiosos con George, Jim y Joe Beach; estaban todos en contra de mí. Todos son, y me parece muy bien, ateos, materialistas... y amables, generosos, pero sin religión. Toda su pasión es algo negativo (indignación, mal y desamor), indignación contra la escala de valores, Wm. R. Hearst, políticos corruptos. Su mayor ambición, el hedonismo. La buena vida es para ellos comodidad, buenos amigos, hijos y amables esposas... Pero para los religiosos (me encantaría ser uno de ellos), la ambición radica en la gloria y el fuego, el poderoso viento, la música salvaje, por ejemplo, Blake, Scrabin, John Fox, Bach, Shelley, Thomas More, Milton, Nietzsche, Tolstoi, etcétera. Los que no tienen religión son criaturas llenas de dudas que van de un lado a otro intentando pacientemente hacer bien las cosas, cuidando a sus hijos, siendo amables y justos con todos, ganando los casos legales, etcétera, pero no pueden hacer «más» que esto. El alma, dice Platón, es algo que se autocreó... el Primer Movimiento Inamovible. Los que tienen religión (verdadera religión, no ortodoxa) son incandescentes y mucho más que meramente buenos. Bueno, así discutíamos... todo empezó cuando leí a Jung.

20 de enero de 1935

Me levanto a las siete y a las siete y media es la boda de Mari en este apagado, débil y blanco día nevado. La temprana y querida luz, casi sombría, el mundo es tan suavemente blanco como el armiño... La torre de la pequeña iglesia... sobre los caminos nevados, el oscuro altar iluminado con un débil destello, salpicado de velas... El sacerdote con su túnica blanca de satén, los monaguillos almidonados y con lazos rojos (tres de ellos son morenos). Arrodillados, haciendo sonar las campanas, arrodillados, con las rodillas dobladas y ocupados con sus vestidos, sacudiendo sus zapatos desabrochados... y Mari y su novio, y otros dos arrodillados enfrente. Una misa larga, larga, media hora y más... al final, el sacerdote abre la puerta dorada al grial... Entonces muchos feligreses se dirigen hacia el altar; son fuertes, hay trabajadores cansados y toscos, con gruesas capas llenas de suciedad y abrigos raídos, se arrodillan y abren sus bocas una y otra vez como polluelos para recibir la comunión. Los monaguillos siguen al sacerdote para ayudarle y sostienen los cálices, un crucifijo dorado; no dejarán caer nada al suelo... Entonces se reparten tranquilamente por toda la iglesia, por la nave lateral, con sus largas manos encallecidas, con sus caras bastas y gruesas barrigas y van hacia la nave lateral, las manos rojas hinchadas que dirigen hacia un punto, un punto de la plegaria. «¿Te gusta?», le pregunto a Roy Jones. «Siempre lloro», me dice.

Es una buena descripción. La leo ahora y me sorprendo y exalto en mi interior. Si escribís un diario, estaréis contentos y sorprendidos con vosotros mismos, porque todo el mundo ve y siente cosas de forma vívida, pero estas sensaciones se apagan o se pierden antes de ser plasmadas en un papel.

En mi diario hablo con frecuencia del acto de escribir.

5 de noviembre de 1935

Mi agente me ha devuelto la única historia mía que tenía. La escribí el pasado invierno. Le eché un vistazo. Era horrible. Cada concepto, cada injuria, cada objeto estudiado estaba recogido allí... Cuando la leí otra vez me di cuenta de que era un trabajo tonto. Ahora tenía tiempo para leerla y sabía que podía escribir algo mejor. Pero no se debería permitir tanta indulgencia. Hay cosas graciosas que contar y muy interesantes.

12 de julio de 1934

Me parece que es mi vanidad la que me hace escribir mal y avergonzarme de que la gente pueda ver lo que hago. Esto ensombrece mi escritura y mi capacidad de observación. Sucede lo mismo cuando escucho música; si suprimo el pensamiento egocéntrico, entonces empiezo a escuchar la música de otro modo y la entiendo mejor; si hago lo mismo cuando hablo con la gente, entonces entiendo mejor todo lo que dicen y voy mucho más allá de sus palabras. Pero son experiencias, experiencias, teoría, teoría. Puedo seguir diciendo bobadas.

18 de diciembre de 1936

Lo que me explicó M sobre tener un «talento pobre» no me hizo sentir del todo melancólica, y eso que me dijo que esperaba demasiado de mí misma y que no disfrutaba de mi trabajo; que me afecta demasiado cuando éste es malo, y que soy perfeccionista en exceso, por lo que sufro mucho y describo las cosas minuciosa y desordenadamente.

Ahora no es que no crea en el trabajo, pero considero que uno tiene derecho a *entretenerse* mucho en algo, sin que los demás lo consideren loco —lo cual es, por supuesto, una equivocación—. Le repliqué a M (y ella no me entendió) lo que me repito muchos días a mí misma: «Puede que no tengas mucha habilidad, pero la que tienes, consérvala y muéstrala. Sé simple: trabaja incluso si piensas que no hay palabras de más de una sílaba, hazlo lo mejor que puedas y aprende escribiendo *mucho, mucho,* a pesar de las imperfecciones».

Es como Francesca, que no aprendió bien los quehaceres de una granja, después de meses de práctica, pero, a cambio, nos deleitó con sus conciertos y con su entusiasmo por toda la música de Beethoven, Bach, etcétera. En el interior de cada uno de nosotros siempre aparece el inevitable impulso hacia la perfección; este impulso va más allá de lo que somos capaces de conseguir. Por lo tanto, no tiene ningún sentido ser demasiado meticuloso con los detalles, sobre todo si ello viene causado por algún tipo de miedo. Si se trabaja para alcanzar la verdad, saldrá todo bien. Sólo el trabajo y el sentimiento nos aportarán eso: la perfección que hay dentro de nosotros mismos.

Sí, escribiendo un diario estoy convencida de que he aprendido muchas cosas. Pero no creo que el proceso de aprendizaje hubiera marchado tan bien por el hecho de escribir el diario en sí, sino por haber escrito *mis vivencias de cada día.* Y es por eso por lo que, si queréis escribir, debéis intentar vosotros también plasmar vuestras vivencias en un diario.

Capítulo XV

No sabemos que poseemos
una inagotable fuente de ideas

O tra buena razón para escribir un diario es descubrir que poseéis una inagotable fuente de ideas. Lavater dijo: «No hay talento suficiente que pueda cansar a un genio». Ningún ser humano, mientras permanece vivo, puede cansarse de su continuo y cambiante torrente de ideas. Para escribir con alegría y autoconfianza, debéis descubrir lo que hay en vosotros, una fuente inagotable de imaginación y conocimiento.

Podemos pensar de nosotros mismos que es nuestro cerebro, ayudado por algo de café caliente, quien es capaz de lanzar nuevas ideas. Pero para escribir hábilmente y desde el verdadero yo, debéis descubrir que el elemento fundamental se esconde en vuestro interior, y es esa fuente inagotable de imaginación y conocimiento.

En uno de los diálogos de Platón, *El Meno*, Sócrates habla a un joven aristócrata tracio llamado Meno y discuten si todo se puede enseñar, es decir, si la persona a la que se le enseña puede aprender algo nuevo o sólo recopilar lo que ya sabía, lo que su alma había aprendido en estadios previos de su vida.

Sócrates llamó al niño esclavo de Meno, un niño que no había ido a la escuela.

«Escucha ahora, Meno», dijo Sócrates, «las preguntas que le hago y observa si aprende de mí, o sólo recuerda... Dime si sabes que una figura como ésta es un cuadrado» (Sócrates dibujó uno).

CHICO. Sí.

SÓCRATES. ¿Y también sabes que un cuadrado está formado por cuatro líneas iguales?

CHICO. Desde luego.

SÓCRATES. ¿Y que estas líneas que he dibujado en el centro del cuadrado también son iguales?

CHICO. Por supuesto.

Sócrates continuó haciéndole preguntas al chico, dibujando figuras en la pizarra mientras hablaba.

«Observa, Meno», le dijo, «que no le estoy enseñando nada al chico, que sólo le estoy preguntando».

Y Sócrates continuó con sus preguntas:

«¿Cuántos espacios hay en esta sección?»

CHICO. Cuatro.

SÓCRATES. ¿Y cuántos en ésta?

CHICO. Dos.

SÓCRATES. Y cuatro, ¿cuántas veces es dos?

CHICO. Dos veces.

SÓCRATES. Y este espacio, ¿de cuántos centímetros es?

CHICO. De cuatro centímetros.

SÓCRATES. ¿Y a partir de qué línea obtienes esta figura?

CHICO. A partir de ésta.

Y al poco rato, Sócrates afirmó:

«Ésta es la línea que la gente culta llama diagonal. Y si éste es el nombre correcto, entonces tú, esclavo de Meno, ¿estás preparado para afirmar que el doble espacio es el cuadrado de la diagonal?»

CHICO. Desde luego.

«Bien», le dice Sócrates a Meno. «¿Qué te parece? Yo no le dije las contestaciones, sólo le pregunté. Luego ya lo debía de saber antes. Todo ese conocimiento estaba dentro de él.»

Del mismo modo existen muchas ideas en todos nosotros, pero no lo sabemos. Nadie nos ha preguntado, a no ser que hayamos tenido la suerte de conocer a gente inteligente e imaginativa que nos alentara a creer en nosotros escuchándonos, queriéndonos, riendo con nosotros. (Todo el mundo sabe que quien ríe con facilidad contagia su risa, y nos hace pensar en cosas más alegres.)

Debéis ser conscientes de la riqueza que guardáis dentro de vosotros mismos y creer en ella para llegar a escribir con grandeza y autoconfianza. Una vez que os hayáis dado cuenta de ello, tened fe y funcionará. Es como si alguna vez tuvierais un millón de dólares en el banco. ¿De qué os servirían si no sois conscientes de su existencia?

En determinadas revistas para las que he trabajado, algunos de mis colaboradores no eran escritores profesionales.[1] Sus artículos recogían los recuerdos que guardaban de algunos personajes importantes, como presidentes, generales, etcétera. Así podía empezar el texto de uno de estos colaboradores: «La mujer del gran estadista, la señora K, era una espléndida anfitriona y derrochaba su simpatía entreteniendo a las personas más interesantes que se encontraban en Washington aquel año». Como podéis ver, estas líneas son frías y pobres y no incitan a seguir leyendo. Entonces, yo me detenía en este punto y le hacía las siguientes preguntas a mi colaborador:

«¿Cómo era ella? ¿En qué destacaba?»

La cara de mi colaborador se iluminaba de pronto, con un interés inusitado, con inteligencia y excitación, y entonces le fluían ávidamente las ideas, que expresaba así:

«Era impetuosa, fascinante. Hacía olvidar el aburrimiento. Tenía las cejas negras y arqueadas y una cara enrojecida

---

1. Generalmente, cuanto más alto es el nivel de estudios, peor escriben las personas. La gente sencilla, menos educada, siempre suele tener algo inmediato, algo poético, sus propios sentimientos verdaderos para plasmarlos sobre el papel.

por la presión sanguínea. Caminaba con un traje ajustado; de este modo, mantenía su peso a raya. Era generosa y nada esnob, y no soportaba la estupidez. Sus ojos parecían dos ascuas. Su marido solía seguirla por toda la casa e iba apagando las luces que ella se dejaba encendidas. "Tienes razón, Eddie", le decía. "Apágalas todas. Así podrás ahorrar mucho dinero." En el fondo, él le tenía miedo de su reacción y prefería estar fuera de casa.»

Podéis ver lo bien que habría escrito si hubiera contado estos detalles desde el principio

Ésta es otra razón del porqué vuestra brillante imaginación no se puede escapar a la hora de escribir: Suponed, por ejemplo, que tenéis que escribir un artículo cuyo título sea: «La industria maderera en el estado de Minnesota» —o algo parecido—. Pues bien: jamas os dejéis influir por el pensamiento de que no sois capaces de contar nada interesante. Si superáis el miedo a fracasar, es decir, a parecer aburridos y poco interesantes, comenzarán a fluir las ideas que se convertirán en buenas oraciones gramaticales.

Cuando os bloqueáis, os parece terrible la obligación de enfrentaros a todo ese material amorfo y confuso y lograr escribir una serie de frases coherentes. Es ese temor, esa consciencia del *trabajo que os espera* el que hace que os sintáis aburridos, cansados y confundidos. Entonces os ponéis a escribir como si estuvierais sufriendo una agonía, e inevitablemente descartáis de vuestra mente todos los pensamientos brillantes y verdaderos que contienen variedad y riqueza y acabáis por escribir una prosa aburrida.

En vez de trabajar de este modo, podéis intentar seguir el método que describiré a continuación:

Estaba en casa de mi hermana en Nueva York; su hija de catorce años se encontraba presionada por la proximidad de los exámenes y porque tenía que entregar varios trabajos. Lo que más le preocupaba era un tema que tenía que presentar por escrito sobre Thoreau. Parece que Robert Louis Stevenson había dicho de Thoreau que éste aborrecía «el contacto con el mundo, lo cual era espantoso». Los alumnos tenían que decir si estaban de acuerdo o no con Stevenson y por qué. Carlota (mi sobrina) admiraba mucho a Thoreau y no soportaba que Stevenson hubiera realizado tales comentarios. Entonces me di cuenta de que, como sentía pasión por el tema, podía escribir un brillante comentario.

Le dije:

«Vamos juntas a tu habitación y tendremos tu trabajo escrito en veinte minutos. Conseguirás obtener un sobresaliente.»

Lo que sigue es el diálogo que mantuvimos. Yo anotaba en un papel borrador de color amarillo cada palabra que me iba diciendo, incluso las expresiones como: «oh, espera».

● ● ●

R. L. Stevenson dijo: «He aquí algo impropio de un hombre valiente, algo a lo que no mueven el ardor ni la libertad, el temor a estar en contacto con el mundo. En una palabra, Thoreau fue un fugitivo».

YO. Bien, ¿quién era realmente? ¿Por qué te gustaba?

CARLOTA. Déjame pensar. ¿Quién era él? Me agradaba porque creo que era original y hacía lo que le gustaba, y tenía valor para hacer las cosas que él quería a pesar de lo que los demás dijeran de él, y no se dejaba arrastrar por los convencionalismos. Creo que esto de que todas las personas estén a la defensiva y digan que algo les gusta porque gusta a todo el mundo, como si fueran borregos, no tiene fundamento y me parece una tontería.

¿Por qué?

CARLOTA. Bien, porque creo que no es necesario que los demás consideren correctas nuestras ideas y nuestra forma de actuar.

¿Qué quieres decir?

CARLOTA. Me refiero a que los borregos son los cobardes, mientras que los que van sueltos, los descarriados, al menos persiguen algo; por eso deben ser admirados. Fíjate en la historia.

¿En qué momento de la historia? ¿A qué te refieres?

CARLOTA. Bien, Andrew Jackson fue mejor que Grant. Eso es cierto, porque Jackson tuvo sus propias opiniones, mientras que Grant intentaba contentar a otros a cada momento.

¿Dónde vivió Thoreau?

CARLOTA. En Walden. Lo hemos estudiado hace poco. Allí es adonde se trasladó, a los bosques, y construyó una pequeña casa y subsistió prácticamente con nada, con poco dinero, manteniéndose al margen... Era un hombre práctico.

¿Qué quieres decir?

CARLOTA. Que construyó su propia casa y consiguió su propia comida y la cocinó de manera muy simple, y trabajó poco, apenas lo suficiente para ganar el dinero necesario para subsistir. Además, hizo lo que le gustaba. Trabajaba seis meses al año y en lo que le gustaba.

¿En qué?

CARLOTA. Era topógrafo. El resto del tiempo se lo pasaba caminando y estudiando la naturaleza.

Pues «estudiando» suena a trabajo.

CARLOTA. Oh, pero lo hacía para disfrutar, no por el bien del género humano. No le importaba lo que los demás pudieran pensar o querer. En efecto, él disfrutaba escandalizando a todo el mundo. En Concord, se había dedicado a caminar mientras la gente permanecía en la iglesia, sólo para demostrarles que no estaba haciendo nada y que no le importaba lo que pudieran pensar de él.

¿Crees que le gustaba la gente?

CARLOTA. Pienso que prefería el contacto con los animales. No creo que odiara a la gente, simplemente, quería ser independiente. Para él, no era necesario ayudar a nadie más. Pensaba que los demás podían continuar perfectamente sin él.

¿Qué aspecto crees que tenía?

CARLOTA. Creo que era un hombre atractivo.

¿Estaba casado?

CARLOTA. Nunca se casó, no quería asumir ninguna responsabilidad... de ninguna clase.

¿Qué me dices sobre su opinión respecto a temas como la esclavitud? ¿Tomó partido en un asunto como ése?

CARLOTA. Sí. Pensaba que era un error, pero que faltaba por recorrer un largo camino para evitarlo.

¿Era bueno con los animales?

CARLOTA. Sí, más que bueno, extraordinario. Si un perro o un cerdo se perdían, se pasaba los días tratando de encontrarlos para devolvérselos a sus dueños, pero sólo si sabía que el dueño los trataba bien.

¿Adoptó a algún niño?

CARLOTA. Creo que lo habría hecho si lo hubiera encontrado. Su filosofía de vida era que todo el mundo debía cuidarse de sí mismo. Pero él se hubiera hecho cargo de un niño, igual que se ocupaba de los animales.

¿Cómo vivió?

CARLOTA. Dormía a la intemperie mientras se estaba construyendo la casa y luego dormía dentro, en una habitación bonita y confortable, nada lujosa, con una buena cama y nada más.

¿Era de Nueva Inglaterra?

CARLOTA. Me parece que sí.

Hace unos días tu padre fue al campo y escuché cómo hablabas con tu madre sobre Thoreau. ¿Cómo fue eso? ¿Qué le estabas diciendo?

CARLOTA. Mi padre quería ir al campo a pasar el fin de semana y yo pensé que debía ir con él porque él así lo habría preferido. Pero yo deseaba estar en la ciudad e ir al cine. Mi madre me dijo que me decidiera y le contesté: «Bien, sé lo que Thoreau habría hecho... Se habría ido al cine».

Pero Thoreau era un apasionado del campo, ¿no es así?

CARLOTA. Ya lo sé. Pero él habría hecho lo mejor para *él*, porque no buscaba contentar a sus conocidos y personas más cercanas, sino a *él mismo*... Creo que Thoreau habría ido al cine, y así lo hice.

Ahora volvamos a lo que Stevenson escribió sobre él. ¿Qué quería decir con que no era «valiente»?

CARLOTA. Sí, de acuerdo. ¿Qué quería decir con que no era «valiente»? Pues quería decir sencillamente, que era un cobarde. Stevenson le llamó cobarde. Pero él no lo era, porque tenía la fuerza suficiente como para hacer todo aquello que considerara que era lo mejor. Para Stevenson, el hecho es que el alcance de su cobardía afectó a los demás; pero piensa en el mundo, mira a tu alrededor y fíjate en que todo el mundo hace siempre lo que los demás quieren que haga.

¿Qué pensaba sobre la generosidad?

CARLOTA. Bien, ¿qué puede haber de bueno en que tú estés siempre haciendo lo que los demás quieren que hagas? Si te opones, pueden llegar a aborrecerte... La generosidad es una proposición muy distinta.

¿Qué es?

CARLOTA. Pues...

Quizá será mejor que nos mantengamos fieles a Thoreau y su manera de ser independiente y de hacer lo que otros no aprobaban...

CARLOTA. Bien, yo misma nunca he hecho nada cuando los demás se oponían. Puede que alguna vez haya hecho algo, pero no lo recuerdo. ¡Y me gustaría! La persona más cobarde que pueda existir es precisamente aquella que siempre intentará contentar a todo el mundo y se molestará si alguien desaprueba sus acciones.

Creo que tienes razón. Ahora veamos. Stevenson dice: «algo a lo que no mueven el ardor ni la libertad».

CARLOTA. Pues me parece que es lo que Thoreau hizo: él se sentía muy libre y enérgico. Siempre se fiaba de sus impulsos; por eso se sentía libre. Creo que Stevenson no sabe lo que dice cuando habla de «algo a lo que no mueven el ardor ni la libertad».

¿Y qué opinas sobre que «teme a estar en contacto con el mundo»?

CARLOTA. Se refiere a que su vida en Walden era una experiencia, algo así como un negocio para él, del que sacó mucho partido.

¿Dónde había trabajado?

CARLOTA. Había trabajado para sus padres. Ellos habían abierto una fábrica de lápices. Y cada vez que la fábrica se trasladaba a otro lugar, él se mudaba con su familia. Ya se había acostumbrado al éxito, a la vida acomodada, como lo hubiera hecho cualquier hombre. Pero éste no era su camino; tenía que decidir lo que más le gustaba y lo que sería mejor para él.

No parecía tener miedo a la soledad. ¿Qué crees tú?

CARLOTA. ¡Es una buena idea! Añadiremos esto también, porque la mayoría de la gente tiene miedo a la soledad. Todas las chicas que conozco, todas las personas, se sienten cómodas entre la multitud, en cualquier lugar cálido y agradable donde haya gente. Porque ésta es la cosa más terrible para la mayoría de nosotros: estar solos durante mucho tiempo... Sin embargo, él, en cierta manera, no era del todo un fugitivo, sino un hombre valiente que tomó esa determinación pues pensaba que se iba a sentir mejor. No era esclavo de nadie... Creo que eso es todo... ¡Ah! Olvidé mencionar algo que hizo cuando estaba lejos de los bosques: escribir.

¿Qué escribía?

CARLOTA. Bien, escribió varios libros, no muy importantes. Por lo tanto, ya hacía algún trabajo... Comía alimentos poco saludables, pero eso nunca le preocupó.

¿Qué tipo de comida?

CARLOTA. Mucho pan y poca cosa más. Decía que no veía la necesidad de comer carne o verduras caras... Bien, eso es todo. Es más que suficiente.

• • •

Carlota tomó las cinco páginas que yo había escrito con sus propias palabras. Reordenó los párrafos y arregló algo. Para evitar vaguedades y términos inexactos, fue sustituyendo aquí y allá unas palabras por otras hasta que las frases le sonaron mejor. Donde hallabaa un pensamiento confuso y torpemente expresado, lo sustituía por otro más sencillo, expresado con mayor claridad y que significara más cosas. Pero un sorprendente número de sus frases originales eran correctas. La expresión involuntaria habría sido justamente la más válida, y eso no se podía mejorar.

Esta reescritura de su primer borrador se hizo en una hora. Fue una tarea placentera y absorbente; no hizo falta que Carlota se rompiese la cabeza. Y lo que escribió sobre Thoreau tuvo vida e interesó porque dijo exactamente lo que pensaba y lo que sentía, en parte gracias a que yo la había ayudado con mis preguntas. En este ejercicio obtuvo un sobresaliente.

Vosotros también podéis intentar lo mismo cuando escribáis un artículo. No os preocupéis por el conjunto. Escribid la idea que se os ocurra en ese momento, sin miedo. Si lo hacéis así, seguro que vuestros pensamientos tendrán más coherencia y orden de lo que creéis.

Una mujer que conozco se sentaba en una habitación tranquila de su casa cada día y, mientras contemplaba el lago congelado, escribía lo que pasaba día tras día, qué decía su hija, su marido; explicaba los pequeños acontecimientos de su vida en común. Pasó sus escritos a máquina, en hojas amarillas, y se olvidó de ellos durante un año. Lo más curioso de todo es que, cuando se sentaba y escribía contemplando el lago, se creía una tranquila mujer de mediana edad con una vida de lo más corriente. Pero un año después, al volver a mirar lo que había escrito, cuando ya no se sentía tan cercana a su escritura, como si se tratara de la de un extraño, se quedó sorprendida. Casi no se podía creer que estuviera tan bien.

«Es muy bueno y está lleno de vida», me escribió. «Se podría convertir en una novela que yo llamaría *Un año*, aunque se extienda más allá. Mi gran sorpresa ha sido descubrir que, en vez de una existencia corriente y tranquila, he tenido una vida excitante y extraordinaria, y la imagen de mi pequeña hija es tan viva como una pintura de Goya.»

Como podéis apreciar, lo que escribió contenía más de ella que su propia idea de sí misma. *Yo* sabía lo maravillosa que era, aunque no se diera cuenta de ello.

Van Gogh escribió:

«¡Quién pintara retratos como Claude Monet paisajes!... Aunque ya me conformaría con ser Guy de Maupassant y disfrutar así de sus pinturas llenas de colorido y luz que reflejan la felicidad de la gente... Sin embargo, a este pintor, que todavía es un desconocido, no me lo puedo imaginar viviendo en bares y trabajando sin una meta fija, como yo.»

Chéjov supo de sí mismo que era un gran escritor. En otras palabras: Van Gogh, Chéjov y todos los grandes sabían interiormente que tenían algo. Poseían una convicción apasionada de su importancia, de la vida, del fuego, de Dios en ellos. Pero nunca estuvieron seguros de que los *demás* lo vieran, o que algún día llegara el reconocimiento.

Lo importante es el convencimiento de que todo el mundo posee esa riqueza interior, ese fuego. La tragedia es que muchas personas nunca llegan a exteriorizarla, o tratan de demostrar al mundo y a ellos mismos que la poseen, pero no con generosidad, sino de forma egoísta, por alguna razón secundaria como dinero, poder o publicidad. Pues bien: tenéis que lograr que vuestra riqueza interior se vea. Primero: porque es imposible que *no* poseáis talento creativo. Segundo: porque el único modo de que se incremente es utilizándolo. Tercero: porque no podéis estar seguros de que no se trata de un *gran* talento.

Por eso creo que la actitud de Blake hacia su propio genio es la correcta. Todos deberíamos *sentir* como él. Conocía su fuego interno, creía en él y no dejó que nadie lo anulara nunca. Blaje no era prudente: «La prudencia es una muchacha fea, rica y caprichosa que nos incapacita», dijo. Sobre la moderación, la precaución, la medida y la comparación, declaró: «Mi trabajo no consiste en razonar y comparar, sino en crear».

Aborrecía la cobardía que se hacía pasar por modestia.[2]

> *El zorro, el topo, el escarabajo y el murciélago*
> *con dulce reserva y modestia se engordan.*

Blake escribió, dibujó y pintó lo que su Visión e Imaginación le mostraron con entusiasmo y alegría. Despreció y quemó algunas de sus composiciones porque decía que la fama en la Tierra desmerecía la riqueza espiritual. Sabía que a pesar de que los hombres de su tiempo no le prestaron mayor atención, su trabajo era grande e importante, y que para el Poder Eterno no había obrado en vano.

> *Mis propósitos inalterados permanecen,*
> *el tiempo puede encolerizarse, pero la ira es en vano.*
> *En las alturas, allá arriba, el Tiempo enturbia las fuentes,*
> *en las grandes montañas del Atlántico,*
> *en mi casa dorada en las alturas,*
> *allí brillarán eternamente.*

Esto es todo lo que os recomiendo que hagáis: trabajar y brillar eternamente.

---

2. Se refiere al cobarde que no actúa por miedo a equivocarse o a no obtener la aprobación general.

Capítulo XVI

Utilizar la imaginación

Me gustaría decir algo acerca del uso de la imaginación. Todos la tenemos, aunque algunas personas no lo crean. Cuando la gente escribe, intenta forzarla demasiado. Durante años estuve convencida de que utilizar la imaginación era una ardua y costosa tarea. Ahora sé que no es así. Lo difícil es superar la ansiedad y el miedo a resultar mediocre. Supongamos, por ejemplo, que alguien quiere contar una historia. Se sienta delante de unas cuantas hojas en blanco y comienza: «John Johnson era...» Entonces nuestro escritor se da cuenta de que no sabe mucho de su personaje, de cómo es; llega el desánimo y el miedo a que quizá no posea imaginación. Si no fuera por este miedo, el escritor seguiría intentándolo; trataría de ver a John Johnson con detalle, hasta que al final tuviera un claro retrato de él.

Pues bien: ahora sé que la imaginación se presenta y trabaja cuando *menos* te lo esperas, cuando se mantiene una peculiar *claridad pasiva*. Una escritora amiga mía sueña a menudo lo mismo: que llega una procesión de gente desconocida, con caras y vestidos fascinantes y piensa: «¡Oh, ya vienen!», como si se tratase de un desfile para su propio deleite. No se esfuerza, sólo se siente relajada. Creo que es así como los personajes de vuestras historias o novelas deberían presentarse ante vosotros y ante todo el mundo que quiera escribir.

Tengo otra amiga, una joven sueca, mística y clarividente, que me dijo que tenía visiones como Blake: santos, arcángeles, héroes. Bastaba con que cerrara los ojos para que apareciesen ante ella con mayor claridad y minuciosidad que si los viera con sus perecederos ojos mortales. Al igual que hacía Blake,[1] mi amiga escribía entonces cómo eran y qué decían. Yo no puedo explicar en qué consistían sus visiones ni por qué las tenía, pero sé con toda certeza que si yo pudiera ver de ese modo, con esa imaginación, me sentiría escogida por Dios. Cuando le pregunté sobre ello, me dijo:

«Si *racionalizo* lo que veo, no lo puedo hacer. No puedo controlar lo que hacen o dicen los ángeles y los seres de mis apariciones. Así, si me digo: "Sólo ves cosas maravillosas. También deberá haber algo malo y feo". e *intento* verlo, no puedo controlar la aparición. Todo este poder de "ver a través" desaparece.»

Mozart también componía así. Éstas son sus palabras: «Cuando me encuentro como si fuera "mi yo completo", solo y tranquilo (como cuando paseo después de una buena comida), o cuando no puedo dormir durante la noche, fluyen mis ideas con mayor facilidad. Por qué y cómo me llegan, no lo sé, pero sí sé que no las puedo forzar. Las ideas que me gustan las retengo en la memoria como me han enseñado a hacer. Si el proceso continúa, pronto juntaré una cosa con la otra, como si fuera a cocinar un buen plato, y acabaré componiendo con las normas del contrapunto y las peculiaridades de cada instrumento.

»Todo ello enciende mi alma y, si no me molestan, mi trabajo se amplía, hasta que llega a estar completo y acabado en mi mente. Entonces lo puedo revisar como se hace con una pintura o una escultura. El placer que me proporciona

---

1. Él llamó a este tipo de ojo «el órgano inmortal e imaginativo».

no os lo puedo describir. Todo este proceso de invención y producción se realiza como en un sueño vivo y placentero.»

Nosotros no podemos ser como Mozart. Pero todos tenemos algo de él. Creo que no confiamos en nuestra imaginación ni la usamos lo suficiente. La autoconfianza es muy importante. Cuando escribáis una historia, sentíos libres, dueños de vosotros mismos. Intentad escribir historias de forma improvisada y ved el resultado.

A veces daba a mis alumnas un breve argumento, sólo el esqueleto, y les decía que se sentasen a escribir la historia completa, libres y llenos de confianza en sí mismos. «Sentíos como cuando le contáis a un niño una gran mentira».

Los resultados fueron sorprendentes. Una amable aristócrata escribió en pocos minutos una historia sobre una bailarina; el personaje se hallaba tan bien dibujado que la propia autora se quedó admirada de lo que había sido capaz de hacer. También dibujó el retrato de un hombre de negocios que sentía una gran pasión por la genealogía y que le era infiel a su mujer. Esta amable y aristócrata señora nunca había conocido a ninguna bailarina, ni tampoco a ningún hombre de negocios infiel. Sin embargo, ahí estaban estos dos personajes creados en poco tiempo, aunque con autenticidad.

Intentadlo. Aprenderéis mucho sobre vuestras capacidades.

Otra sugerencia que os podría ayudar la explico en los párrafos siguientes.

He dicho que el Arte es generosidad, es decir, compartir nuestra obra con los demás, pero no para satisfacer nuestro ego, sino por el placer de que otras personas la disfruten.

En una ocasión, estaba tocando el piano y un músico que oía lo que yo tocaba me dijo: «Así no vas a llegar a ninguna parte. Siempre tienes que tocar para *alguien*. Puede que para un río, para Dios o para alguien que esté muerto, pero tu música debe dirigirse a algún sitio».

Por eso, cuando se escribe o se cuenta una historia, ayuda tener un oyente imaginario; así resultaréis más interesantes y convincentes. Ya debéis de saber que un oyente ayuda a crear y a dar un carácter específico a la historia. Pongamos por caso que estéis contando un cuento a varios niños. Instintivamente, cambiaréis el argumento, lo adaptaréis, lo acortaréis o alargaréis bajo la atenta mirada de vuestro joven público, de modo que se sientan atrapados por vuestra historia.

Haced lo mismo al escribir. Tenéis que atraer la atención de vuestra *audiencia* hasta el final, mucho más que si vuestro relato fuera oral, pues en este caso la gente tendría que ser respetuosa y escucharos, les gustase o no vuestra historia.

El hecho de reconocer que el Arte, la Música y la Literatura son tareas compartidas, una corriente viva que pasa de creador a receptor, es absolutamente esencial en el proceso creativo. El día en que descubrí esto se me aclararon muchas cosas que hasta entonces no entendía.

Por ejemplo, el Arte por el Arte es un negocio. Hubo un tiempo en el que yo intentaba escribir algo siguiendo esta máxima. Sí, a veces cometía un atentado contra la pureza, adulteraba el Arte; podría haber sido completamente insolente y orgullosa y no importarme si a los lectores les gustaba o no mi historia —¿qué me importaban los demás si me gustaba a mí?—. Bien, ¿por qué era tan torpe entonces? ¿Realmente lo que yo escribía podía considerarse «Arte puro»?

Evidentemente, una de las razones era que yo no tenía la humildad suficiente para querer interesar, entretener o contar a otros lo que pensaba. Llegué a convertirme en una escritora «por encargo», ya que creía que este tipo de literatura y arte era el más admirado, especialmente por las altas esferas de la sociedad.

Pero cuando uno se pone a pensar en ello, resulta que *La Ilíada*, los Salmos, las sagas, toda la gran literatura antigua tenía unos destinatarios, unos oyentes a los cuales se dirigían. Imaginad a Homero o a Dante de pie ante su audiencia tocando la lira y revelando su forma de pensar, felices por el hecho de que escucharles produjera una corriente eléctrica que nadie podía sentir excepto ellos mismos.

Pienso que el problema de la escritura subjetiva radica en que no hay generosidad ni intercambio vivo con el oyente.

Chéjov le dio a su hermano los siguientes consejos sobre cómo escribir:

«Hay una historia tuya en la que aparece una joven pareja sentada que se besa durante la comida y que habla groseramente. No hay ni una sola palabra sensible ni cuidada: *tú escribes para tu propia complacencia, y no para el lector.* Escribías porque esa conversación te deleitaba... Subjetivamente es algo espantoso, porque traiciona a la mano del pobre escritor, que actúa impulsivamente. ¿Por qué no describías la comida? Cómo comían, qué comían, cómo estaban cocinados los alimentos, lo vulgar que era el protagonista, lo satisfecho que estaba de su hartazgo, lo ridículo que era el amor que sentía la protagonista por ese tieso y sobrealimentado ganso... Sabes expresar algo con mofa; tu estilo no deja de ser rebuscado.»

Ésta es la razón de que no podáis —lo sé por experiencia— escribir un libro extenso, repleto de vuestros propios pensamientos, sacado de vuestras propias entrañas, creado en una mesa de operaciones en la que vosotros erais los pacientes. ¿A quién puede importarle? Además, si lo hacéis así, la Tercera Dimensión, hará que los lectores lleguen a la conclusión de que sois esnobs y egocéntricos, y de que no os importa nadie más que vosotros mismo. Entonces, cuando os lean, pensarán con un sentimiento de cansancio: «¿Por qué seguimos leyendo? No va a contarme nada. Habla sólo para sí mismo».

Capítulo XVII

Los tigres de la ira son más sabios
que los caballos del orden
William BLAKE

uando le dije a un amigo mío, muy escrupuloso, que este libro (al que llevaba dando vueltas desde hace mucho tiempo) debía estar acabado en una fecha exacta, me contestó:

«¿Has planificado el libro? ¿Ya tienes el esbozo?»

Entonces, después de unos minutos de pánico y de gran ansiedad, le dije:

«¡No! Desde luego que no lo he planificado. Nunca se me hubiera ocurrido tal cosa.» Y hay una buena razón para ello: cuando se empieza a planificar un enorme edificio de palabras, tu corazón te falla. El trabajo es demasiado duro, nunca llegaría a hacerse por su complejidad. Por lo tanto, no planifiquéis. Escribid lo primero que os venga a la mente; lo demás ya llegará. El río fluirá a través de vosotros. Tardé años en aprender esto. Hasta hace poco, yo misma había seguido todos los consejos que me daban, planificando mis historias, escribiendo un lógico y conciso esbozo y numerando los capítulos I, II, III, etc., con subtítulos a, b, c, etc. Pues bien: si yo hubiera aplicado esas normas a este libro, probablemente no habríais llegado hasta esta página, pues al haber aplicado un orden tan meticuloso como estéril, su contenido os habría resultado tremendamente aburrido y falso. «¿No resultaría adecuado escribir esta cita de Confucio en el libro?» «Quizá la podría introducir despista-damente bajo el título de:

"Pensamiento constructivo o cosas que un nuevo escritor debe evitar", o tal vez la podría entremezclar en este capítulo titulado "Cómo construir un argumento".»

Nunca planificaría un libro antes de escribirlo. Se escribe y después se planifica. Primero se escribe porque cada palabra debe surgir con libertad y sentido, porque creéis que es así y lo queréis escribir de este modo. Si actuáis de esta manera, el libro tendrá vida propia. Cuidado: no quiero decir que vaya a tener éxito. A lo mejor sólo es útil para diez personas, pero por lo menos para éstas será un libro válido, interesante; les hablará, les ayudará a liberarse.

Por eso creo que los profesores de inglés y de los talleres de escritura de relatos breves ponen el carro antes que el caballo. (También creo que se hace lo mismo en las escuelas de Bellas Artes.) En los cursos de inglés se estudia la construcción de la trama de una historia con el mismo cuidado que un sastre tendría al enhebrar una aguja. Sin embargo, la historia debe contarse primero y esto es algo que no requiere técnica alguna: todo el mundo puede hacerlo. Si alguna vez habéis contado un cuento a un niño y os ha escuchado, es que podéis contar una historia.

Por eso no me gustan los críticos, ya sean profesores de inglés, amigos, familiares u hombres de letras de revistas literarias. Les resulta muy fácil aniquilarnos, primero a base de desánimo[1] y después cuadriculando nuestra imaginación con normas para evitar que trabajemos con libertad.

Nadie sabe mejor que yo lo sensibles que son los escritores; resulta inevitable y nadie tiene por qué avergonzarse de ello. Ya que en aquello que escribimos hay algo de nuestra propia vida, de nuestro propio espíritu; creo que cuando la gente condena lo que hacemos, simbólicamente nos está destruyendo. De aquí que, cuando recibimos críticas poco cons-

---

1. Recordad que George Bernard Shaw decía que el desánimo era *la* enfermedad.

tructivas, aparezca en nuestro espíritu este sentimiento de dolor y angustia.

En mi diario encontré esto sobre mi clase:

«Es sintomático ver que si me intereso por alguien, enseguida se dan cuenta; si permito que el desánimo invada a un alumno sólo un minuto, se desanima la clase entera. Son como flores frescas. Por lo tanto, debo leer *todos* sus manuscritos.» Si sólo leo alguno, los demás pensarán: «Él es bueno, yo no». Y se desesperarán. Me encantaría mostraros por qué dudo de los críticos y por qué hacen daño y obstruyen todo el poder creativo que hay en nosotros.

En mi caso, fue William Blake quien me lo reveló:

«Lo que a menudo llamamos razón», dijo Blake, «no es entendimiento sino aquellos conceptos que aprendemos a partir de la experiencia de nuestros cinco sentidos, de nuestros cuerpos.»

La razón nos dicta: «No puedes hacer esto porque no funcionó la última vez. Además, muchos experimentos así lo han establecido científicamente», Éste es el mismo argumento que emplean los racionalistas, los científicos materialistas y los críticos, quienes se basan en experiencias físicas y, por lo tanto, cierran el paso a sus visiones; su imaginación, que es divina, procede de Dios y no se puede medir ni pesar. Si la dejaran actuar libremente, esta imaginación les podría hablar de algo nuevo y milagroso. Pero su duro caparazón de intelectuales escépticos es infranqueable.

Blake dijo: «Todo lo valioso en conocimiento es superior a la ciencia que demuestra cosas, las pesa y las mide. ¿Y cómo sabremos más? Sólo mediante la imaginación que procede de Dios y que llega hasta nosotros a través de los profetas y la gente importante».[2]

Blake aborrecía a Francis Bacon y a los racionalistas del siglo XVIII:

---

2. También existieron otros grandes científicos con mucha imaginación.

«He leído a Locke, Bacon, Burke... he dado mi opinión sobre cada uno de sus libros; mi desagrado por sus trabajos es el mismo ahora que en aquel momento... Se burlan de la inspiración y de las visiones. Espero que la inspiración y la visión sean siempre mis elementos, mis eternos lugares de meditación. ¿Cómo puedo continuar escuchando esos desprecios?»

Blake tuvo visiones: el arcángel Gabriel y otros grandes seres espirituales le decían lo que debía escribir y pintar y cómo podía inventar un nuevo método de impresión. «El divino Blake», dijo su buen amigo Calvert, «que había visto a Dios y había hablado con los ángeles.»

Desde luego que Blake pensaba que la inspiración y la imaginación (que todos poseemos, como ya he dicho) proceden de Dios que nos las envía a través de sus mensajeros. Los psicólogos nos dicen que ambas se hallan en nuestro subconsciente. Pero tan válida es una explicación como la otra, y yo prefiero la de Blake porque es más fácil de entender.

Pero volvamos a los críticos, que obstruyen y empequeñecen la imaginación, tanto en ellos como en los demás. Todas las civilizaciones han producido maravillosas obras de arquitectura, pintura y escultura. Pero llega un punto en que los hombres empiezan a teorizar; ello es síntoma de que la inspiración se les ha acabado. La inspiración sólo se acaba porque los que teorizan, los *caballos del orden*, empiezan a analizar y codificar en normas lo que los grandes artistas de antaño hicieron libremente a partir de su verdadero yo.

Tampoco me gustan los críticos porque se muestran como expertos de algo *sin serlo*. Ellos son los segundones que no tienen la valentía de hacer nada por sí mismos. Se parecen a los cazadores, que efectúan sus disparos a gran distancia y sin peligro, cosa de la que se sienten muy satisfechos (aunque ellos están a salvo y el tiro no requiere ningún esfuerzo muscular, ni mucha destreza).

Sin embargo, también siento pena por los críticos, porque al alentar al crítico que hay en sí mismos (el que odia) matan al artista (el que ama). A pesar de los conocimientos que poseen, se complacen en destacar lo que no es bueno, en discriminar, razonar y comparar. Están atados de pies y manos.

Sé que la energía del impulso creativo procede del amor y sus manifestaciones: admiración, compasión, respeto, agradecimiento, ternura, adoración, entusiasmo.

Comparad vosotros mismos la ternura de los grandes artistas con la actitud de los críticos hacia los hombres.

Van Gogh escribió a su hermano: «Eres amable con los artistas, y te digo que cuanto más lo pienso, más me convenzo de que lo verdaderamente artístico es amar a la gente».

Y cuando el hermano le dijo a un artista que era «mediocre», Van Gogh no pudo soportarlo: «Eso depende de qué entiendas tú por mediocre. En mi opinión, uno debe empezar, al menos, por respetar al mediocre y por saber que la medriocridad significa que sólo es posible alcanzar algo a través de grandes dificultades».

Cuando Sir Joshua Reynolds escribió: «La admiración entusiasta raras veces produce conocimiento», Blake garabateó furiosamente al margen del libro: «La admiración entusiasta es el primer principio del conocimiento». Y recordad que la palabra «entusiasmo» quiere decir «inspiración divina».

Hace años leí en la revista *Harper's* el artículo de un hombre muy culto que contaba cuánto le había costado educar a sus hijos en el escepticismo; cómo les había enseñado a no creer en nada, ni en la vida ni en la religión, y a dudar sobre sus sentimientos y sobre todo en general. En otras palabras, mató en ellos todo amor espontáneo, pasión, entusiasmo y poder creativo. Creo que también podía haberlos sacado al jardín y matarlos con su hacha.

Un día, fuimos a pintar[3] al campo. Hubo quien se centró en parcelas de paisaje que pudieran resultar «composiciones

---

3. La mayoría de vosotros nunca había pintado antes. Y algunos lo habíais hecho sólo unas pocas veces.

interesantes». Les dije que el mío sería el mejor porque yo buscaba algo para pintar que *me gustara*, algo que me hiciera sentir ímpetu y entusiasmo: dos carros con ruedas rojas y amarillas, que brillaban con el sol. Y creo, realmente, que mi pintura fue la mejor, pero no porque yo tuviera más cualidades o más talento que los demás, sino porque me gustaba lo que había visto, me había llenado de una intensa energía y lo había convertido en *mi* verdad. Esto mismo me ha ocurrido muchas veces cuando me he puesto a escribir: «¿Y si no no resulta *lógico*? La gente dirá que estoy loca».

Pero no permito que ese frío sentimiento permanezca mucho tiempo en mi corazón, porque yo sé que lo que digo es verdad, porque es mi verdad y por lo tanto la expreso libremente y tú debes creerla.

Hace algunos años no me hubiera atrevido a decir nada en este libro sin que fuera corroborado por citas procedentes de grandes obras: «William James dice...», etc.

Ahora creo en lo que digo, y esto es lo que quiero que hagáis cuando escribáis. No perdáis el tiempo ordenando los pensamientos y diciendo: «Debo escribir esto». No tenéis que escribir[4] introduciendo citas de científicos y comparándolas entre sí. Sencillamente, explicad algo. Si este algo es verdad para vosotros, entonces automáticamente pasa a ser verdad, sin más. Lo que surge desde mi yo más profundo es verdad, aunque alguien crea que no. Es *mi* verdad.

Por lo tanto, cuando escribáis, hablad con el yo auténtico y relatad vuestra verdad. Sentid cómo es la auténtica creación literaria.

Más tarde, si no os creéis lo que escribisteis en su momento, si pensáis que lo que plasmasteis sobre el papel no era verdad, aceptad vuestra nueva verdad. La congruencia puede ser uno de los grandes frenos del mundo.

---

4. A menos que queráis, desde luego; a menos que ése sea el propósito de vuestro trabajo.

Capítulo XVIII

Aquel cuyo rostro no se ilumina
nunca llegará a ser una estrella
William BLAKE

Por qué os animo a que todos escribáis cuando el mundo ya está lleno de escritores y de libros impresos?

Según mi criterio, la gran mayoría de estos libros no son buenos y no vale la pena recordarlos. No obstante, cada dos o tres años se publica un libro que agrada a gran parte del público, y que se califica de obra de arte. Este tipo de trabajos puede resultar interesante (aunque no necesariamente). Sin embargo, también existe una gran cantidad de literatura *viva* que conmueve a las personas; es decir, que no les sirve sólo para matar el tiempo.

¿Y qué importancia tienen uno o dos pequeños libros cuando el mundo está lleno de grandes obras por descubrir? Las buenas historias que aparecen impresas son tan escasas y se les da tan poca publicidad en este país (habitado por millones de personas) que el hecho de que un libro se reimprima una o dos veces no es suficiente si se piensa en lo que podría haber sido de haber llegado al gran público.

Pero si (como yo deseo) todo el mundo escribe, respeta y ama la escritura, lograremos tener un país de lectores inteligentes, apasionados y ávidos por leer más, y no sólo simples críticos pasivos, *observadores* de la escritura, cuya actitud es: «De acuerdo, entretenme un rato». Entonces, en nuestros relatos hablaríamos con interés apasionado de cosas que nos conciernen, como hombres y mujeres libres que estuvieran

155

en el paraíso, ese lugar al que Dostoievski describió en una de sus historias del siguiente modo: «No sólo cuando cantan, sino durante todo el transcurrir de sus existencias parece que no hagan más que amarse los unos a los otros.» El resultado: una excelente literatura nacional.

Hasta aquí os he explicado todo lo que creo que tenía que deciros.

Resumiendo, si queréis escribir...

1. Sabed que poseéis talento, sois originales y tenéis algo importante que decir.

2. Pensad que trabajar es bueno, pero trabajar con amor sabiendo que os gusta lo que hacéis. Resulta fácil e interesante. Y es todo un privilegio. No tiene por qué parecer duro a no ser que pesen demasiado vuestra ansiedad y el miedo al fracaso.

3. Escribid con libertad y valentía los primeros borradores.

4. Abordad cualquier tema que deseéis, ya sea en forma de novelas, obras de teatro u otros géneros literarios. Recordad la frase de Blake: «Es más fácil ahogar a un niño en su cuna que atender los deseos insatisfechos».

5. No temáis escribir malos relatos. Para descubrir lo que está mal en una historia, primero escribid dos más y después volved sobre la primera.

6. No os inquietéis ni sintáis vergüenza de lo escrito en el pasado. ¡Cuánto he sufrido yo por ello! ¡Cómo me gustaría eliminar de mi memoria algunos fragmentos de cosas que he escrito! Pero no lo hagáis. Seguid insistiendo y luchad contra esta tendencia que en su mayor parte se debe a una falta de autoconfianza. Estamos demasiado dispuestos (especialmente las mujeres) a descalificar lo que hemos dicho o hecho.

A menudo, afirmar: «Sé que es horrible», antes de que alguien lo haga es un modo de adelantarnos a la crítica, de que ésta sea menos dura con nosotros. En realidad, se trata de cobardía. En primer lugar, no debe importarnos lo que diga la crítica; en segundo lugar, es presuntuoso avergonzarse de los errores propios. *Desde luego* que son errores; pero seguid adelante.

7. Intentad descubrir vuestro verdadero, sincero y no-teórico yo.

8. No os imaginéis como un cuerpo con un manojo de nervios y un puñado de músculos que controlar. Por el contrario, pensad en vosotros mismos como un poder incandescente, quizás iluminado para siempre, a quien Dios y sus mensajeros hablan. Recordad lo maravillosos que sois. ¡Todo un milagro!

9. Es una buena señal que nunca estéis satisfechos con vuestros escritos. Ello quiere decir que vuestra visión puede llegar mucho más lejos, aunque resulte difícil lograrlo. De nuevo os digo que los únicos desafortunados son aquellos que se consideran dotados del don de la elocuencia, pues se quedan inmediatamente satisfechos con su trabajo. Para ellos, el océano sólo tiene la profundidad necesaria para cubrir las rodillas.

10. Cuando os sintáis desalentados, recordad lo que dijo Van Gogh: «Si escuchas una voz en tu interior que te dice: "Tú no eres pintor", entonces pinta a toda costa; esa voz se silenciará sólo a través del trabajo». Al escribir no tengáis miedo de ser vosotros mismos.

11. Dad rienda suelta a vuestro mundo interior. Si teméis resultar demasiado sentimentales, decíos: «No debo avergonzarme por sentir de este modo». Después, probablemente, vuestro sentimentalismo remitirá porque os habrá dejado de preocupar.

12. No estéis siempre valorándoos, pensando si sois mejores o peores que otros escritores. Blake dijo: «No razonaré ni compararé, mi trabajo es crear». Además, ya que somos seres únicos, creados desde el principio de los tiempos, resulta imposible que nos podamos comparar.

¿Y por qué debéis hacer todo esto? ¿Por qué todos tendríamos que utilizar nuestro poder creativo y escribir, o pintar o tocar música?

Porque no existe nada mejor para lograr que la gente sea generosa, divertida, enérgica, valiente y compasiva; porque el mejor modo de conocer la Verdad o la Belleza es tratando de expresarla. Y ¿cuál es el propósito de la existencia? Pues es descubrir la Verdad y la Belleza y compartirla con los demás.

Por todo ello, si este libro os ha dado el impulso necesario para escribir un pequeño relato, habrá cumplido su objetivo y yo me sentiré satisfecha.

Índice